DISCIPLINA POSITIVA
EM SALA DE AULA

DISCIPLINA POSITIVA EM SALA DE AULA

Como desenvolver o respeito mútuo, a cooperação e a responsabilidade em sua sala de aula

4ª edição

Jane Nelsen
Lynn Lott
H. Stephen Glenn

Tradução de Bete P. Rodrigues e Fernanda Lee

Título original em inglês: *Positive discipline in the classroom – Developing mutual respect, cooperation, and responsibility in your classroom – 4th edition*
Copyright © 2013 by Jane Nelsen, Lynn Lott, Judy Arleen Glenn
Copyright © 1993, 1997, 2000 by Jane Nelsen, Lynn Lott, H. Stephen Glenn
Copyright do prefácio © 2013 by Dale Jones
Tradução publicada mediante acordo com Three Rivers Press, selo da Crown Publishing Group, uma divisão da Random House, Inc., New York.

Este livro contempla as regras do Acordo Ortográfico da Língua Portuguesa.

Editor-gestor: Walter Luiz Coutinho
Editora de traduções: Denise Yumi Chinem
Produção editorial: Priscila Pereira Mota

Tradução: Bete P. Rodrigues e Fernanda Lee
Revisão de tradução e revisão de prova: Depto. editorial da Editora Manole
Diagramação: Rafael Zemantauskas
Capa: Daniel Justi
Imagem da capa: istockphoto
Ilustrações: Paula Gray e Adam DeVito

Dados Internacionais de Catalogação na Publicação (CIP)
(Câmara Brasileira do Livro, SP, Brasil)

Nelsen, Jane
  Disciplina positiva em sala de aula : como desenvolver o respeito mútuo, a cooperação e a responsabilidade em sua sala de aula / Jane Nelsen, Lynn Lott, H. Stephen Glenn ; tradução Bete P. Rodrigues, Fernanda Lee. --
4. ed. rev. e ampl. -- Santana de Parnaíba, SP : Manole, 2017.

  Título original: Positive discipline in the classroom : developing mutual respect, cooperation, and responsibility in your classroom
  Bibliografia.
  ISBN: 978-85-204-5114-4

  1. Administração de sala de aula 2. Disciplina escolar I. Lott, Lynn. II. Glenn, H. Stephen. II. Título.

17-00304   CDD-371.5

Índices para catálogo sistemático:
1. Disciplina escolar : Educação 371.5

Todos os direitos reservados.
Nenhuma parte deste livro poderá ser reproduzida, por qualquer processo, sem a permissão expressa dos editores.
É proibida a reprodução por fotocópia.

A Editora Manole é filiada à ABDR – Associação Brasileira de Direitos Reprográficos.

Edição brasileira – 2017

Direitos em língua portuguesa adquiridos pela:
Editora Manole Ltda.
Alameda América, 876
Tamboré – Santana de Parnaíba – SP – Brasil
CEP: 06543-315
Fone: (11) 4196-6000
www.manole.com.br | https://atendimento.manole.com.br/

Impresso no Brasil
Printed in Brazil

Para Alfred Adler e Rudolf Dreikurs, por suas teorias de respeito mútuo, e para os milhares de profissionais de ensino e alunos que têm confirmado o valor dessas teorias nas escolas.

Um agradecimento especial àquelas pessoas que captaram as nossas ideias e as utilizaram de maneiras tão mais criativas do que poderíamos imaginar.

SUMÁRIO

Sobre os autores IX
Prefácio XI
Prefácio à edição brasileira XV
Sobre as tradutoras XVII
Agradecimentos XIX

Capítulo 1 Disciplina Positiva: Um modelo de encorajamento 1
Capítulo 2 Disciplina Positiva: Uma mudança de paradigma 11
Capítulo 3 Estilos de liderança 25
Capítulo 4 Por que as pessoas fazem o que fazem 47
Capítulo 5 Conexão antes da correção 63
Capítulo 6 Habilidades de comunicação respeitosas 77
Capítulo 7 Focando em soluções 93
Capítulo 8 Ferramentas para o gerenciamento de sala de aula 105
Capítulo 9 Abordagens focadas em solução para o *bullying* 125
Capítulo 10 Eliminando as dificuldades de fazer a lição de casa 137
Capítulo 11 Oito habilidades para reuniões de classe: Parte 1 143
Capítulo 12 Oito habilidades para reuniões de classe: Parte 2 161
Capítulo 13 Perguntas e respostas sobre reuniões de classe 179
Conclusão 199
Bibliografia 201
Índice remissivo 205

SOBRE OS AUTORES

JANE NELSEN é autora e coautora de 20 livros, terapeuta de família com doutorado em Psicologia educacional pela University of San Francisco, Estados Unidos. Em sua carreira, Jane utilizou muito de sua experiência como mãe de sete filhos, avó de 22 netos e bisavó de dois – além de esposa de um marido muito companheiro. Escreveu o primeiro livro, *Disciplina Positiva*, em 1981. Mais tarde, juntou-se a Lynn Lott para escrever *Positive Discipline for Teenagers* (Disciplina Positiva para adolescentes), *Positive Discipline A-Z* (Disciplina Positiva de A a Z), *Positive Discipline in the Classroom* (Disciplina Positiva em sala de aula), *Positive Discipline for Parenting in Recovering* (Disciplina Positiva para pais em processo de recuperação) e *When Your Dog is Like Family* (Quando o seu cão é como da família) (e-book). Outros livros da série Disciplina Positiva foram publicados, e hoje o método possui milhares de seguidores em diversos países.

LYNN LOTT é autora e coautora de 18 livros, terapeuta de família com mestrado em aconselhamento familiar e de casais pela University of San Francisco (1978) e mestrado em Psicologia pela Sonoma State University (1977), Estados Unidos. Lynn atende em seu consultório desde 1978 ajudando pais, casais, adolescentes e indivíduos, e agora atende clientes ao redor do mundo por meio do Skype. Em seu tempo livre, Lynn é uma ávida esquiadora, gosta de ler, cozinhar e caminhar. Ela reside na Califórnia e na Flórida com seu marido, Hal Penny. É mãe de dois filhos, madrasta de dois, e avó de seis. Para mais informações sobre Lynn, visite www.lynnlott.com.

H. STEPHEN GLENN (1941-2004), respeitado palestrante e coautor dos livros *Raising Self-Reliant Children in a Self-Indulgent World* e *7 Strategies for Developing Capable Students* (com Michael L. Brock).

•••

Juntas, Lynn e Jane criaram dois *workshops* de treinamento: *Teaching Parenting the Positive Discipline Way* (Ensinando a abordagem da Disciplina Positiva para a educação dos filhos)e *Positive Discipline in the Classroom* (Disciplina Positiva em sala de aula). Datas e locais para esses *workshops* ao vivo (e os DVD de treinamento para pessoas impossibilitadas de comparecer) podem ser consultados em www.positivediscipline.com, onde também podem ser encontradas informações sobre aulas para pais ministradas por educadores certificados em Disciplina Positiva nos Estados Unidos e em outros países.

PREFÁCIO

Um estudo conduzido em San Francisco pelo Lucille Packard Children's Hospital divulgou que mais de dois terços dos pais relataram que seus filhos vivenciam níveis de estresse de moderado a alto, como resultado das lições de casa e da experiência na escola.[1] Outro estudo revelou que, quando os alunos foram solicitados a descrever a sua experiência na escola em uma ou duas palavras, a palavra mais comumente escolhida foi *tédio*.[2] A taxa de evasão no Ensino Médio é um problema nos Estados Unidos, e muitos dos alunos que desistem não o fazem porque têm notas baixas, mas porque sentem que a escola não tem relevância em suas vidas. Esses são apenas alguns indicadores de que nossas crianças estão se dissociando e se desintegrando da escola, o que resulta em consequências terríveis para elas, para nossa comunidade e para nossa nação.

Como pai e diretor de escola, conheci a Disciplina Positiva em um curso para pais. No entanto, quanto mais eu a aplicava e mais treinamento os professores recebiam sobre o assunto, mais eu compreendia a DP (como nós nos referimos) como um antídoto para muito do que aflige a educação hoje em dia.

---

1 Lucile Packard Foundation for Children's Health (2005). KidsData.org. Krackov, Andy e Walsh, Eileen. New poll highlights parents' views on physical, emotional health of children.
2 Lyons, L. (2004). Most teens associate school with boredom, fatigue. *The Gallup Youth Survey, January 22–March 9, 2004*. Disponível em: http://www.gallup.com/poll/11893/Most-Teens-Associate-School-Boredom-Fatigue.aspx. Acesso em: 24 jun 2009.

Não é o remédio de todos os males, mas é o que chega mais próximo, do que qualquer outra coisa que conheço, de abordar o ponto fundamental que está no coração da crise educacional, ou seja, o fato de que nossos filhos têm uma falta quase completa de propriedade em sua própria escolaridade.

Por "propriedade" quero dizer a crença de que eles podem gerar um impacto sobre aquilo que acontece a eles. Infelizmente, a maioria dos alunos atualmente sente que a escola é algo que *acontece na vida deles* e não algo de que eles participam de maneira ativa. Claro que eles ainda têm demandas para fazer trabalhos e provas, mas raramente eles têm o direito de determinar o tipo de trabalho ou a melhor maneira de demonstrar que estão compreendendo o conteúdo.

Disciplina Positiva é uma filosofia que não só afirma o que as crianças sentem e pensam, mas que também precisa ser reconhecida, direcionada e incorporada na estrutura regular da escola para que o aprendizado seja significativo. Aplicado com fidelidade, não é apenas um programa independente contra o *bullying*, ou um currículo de aprendizado socioemocional, mas também um veículo de mudança em todos os aspectos da educação, afetando os princípios das relações que estão por trás daquilo que fazemos quando ensinamos às crianças.

Nós devolvemos às crianças seu senso de propriedade e começamos a transformar suas relações básicas com a escola ao envolvê-las na tomada de decisões sobre questões que as afetam na sala de aula, ao incorporar suas sugestões nas condutas de sala e na escola, e ao utilizar suas ideias como recursos valiosos para resolver problemas, tanto sociais como acadêmicos. Nossas crianças podem exercer influência sobre a escola tanto quanto a escola exerce sobre elas, e ambas, a instituição e as crianças, serão melhores por causa disso.

Nas escolas Discovery, acreditamos que seja importante permitir que os alunos escolham sobre o que e como aprender, mas também ir além das escolhas e estabelecer parcerias entre professores e alunos. Alguns dos nossos alunos do sétimo ano estão atualmente desenvolvendo seu próprio método de como serem avaliados enquanto aprendem sobre autoavaliação, alunos do segundo ano estão desenvolvendo lições baseadas no seu interesse pessoal para ensinar aos seus colegas, e os alunos do sexto ano planejaram e organizaram sozinhos uma excursão a San Francisco. Uma quantidade enorme de aprendizado ocorre na preparação logística para levar 27 alunos a uma excursão fora da cidade, o que também proporciona oportunidades para desenvolver responsabilidade, motivação e relevância.

Prefácio

Após nosso mais recente *workshop* em Disciplina Positiva, um dos professores da nossa escola fez uma lista dos conceitos e estratégias que estavam aprendendo e praticando. A lista é impressionante e inclui: permitir que a consequência natural seja o mestre, ser gentil e firme ao mesmo tempo, valorizar erros como oportunidades de aprendizagem, orientar os alunos mas deixar a eles o ônus da resolução de conflitos, e muito mais.

O aspecto mais importante e admirável em *Disciplina Positiva em sala de aula* é a mudança fundamental que consiste em confiar nas crianças, ou seja, a crença de que elas contribuem com habilidades e experiências únicas para seu próprio aprendizado, fazendo da escola muito mais do que um mero espaço para dar início ao crescimento de seu conhecimento. Isso não é só um direito, mas também uma necessidade fundamental de se envolverem seriamente em sua própria educação, dando-lhes a confiança de que eles possuem sabedoria para transmitir, autoconhecimento sobre como aprendem melhor e capacidade de avaliarem seu próprio aprendizado e comportamento.

Disciplina Positiva em sala de aula trata de como criar condições para tornar isso possível.

Dale Jones
Diretor Executivo, Discovery Charter Schools, EUA

PREFÁCIO À EDIÇÃO BRASILEIRA

Disciplina é uma das palavras usadas com frequência nas salas de aula, mas nem sempre corretamente aplicada. Algumas vezes ela é usada no contexto punitivo e pejorativo, e outras é usada como uma forma de invocar os "bons e velhos tempos", quando as crianças obedeciam, sem reclamar, tudo o que o professor lhes pedia.

Obediência e conformidade eram valores altamente admirados décadas atrás, porém o mundo tem mudado rapidamente e, como consequência, estamos mudando a forma de nos relacionar. Atualmente, as famílias estão estruturadas de maneira mais igualitária, a força de trabalho é abastecida por homens e mulheres, há espaço para atividades inovadoras e jovens empreendedores que oferecem serviços que sequer existiam um ano atrás. Como resultado, as crianças estão se desenvolvendo num mundo sem precedentes, em que a informação está disponível em abundância e em crescente velocidade. Como esperar obediência e conformidade nos tempos atuais, onde os modelos de estrutura familiar e organização trabalhista são tão diferentes?

Os autores deste livro questionam modelos arcaicos e autoritários de educação, enquanto sugerem ferramentas práticas e atualizadas baseadas em princípios de respeito mútuo, encorajamento e desenvolvimento de habilidades sociais e de vida para os alunos, nas quais a palavra "disciplina" é usada no sentido mais próximo da sua origem: ensinar!

Por meio de exemplos de educadores em ação dentro da sala de aula, relatos reais sobre os efeitos do uso desta abordagem disciplinar, bem como de atividades práticas e detalhadas que promovem a reflexão dos alunos e os convidam à cooperação, *Disciplina Positiva em sala de aula* prepara o professor para assumir um novo papel: o de um líder gentil e firme ao mesmo tempo!

Considerando que a transformação da sociedade acontece a partir de nós mesmos, temos a obrigação de aprender sobre o nosso estilo de liderança e o impacto que geramos em nossos alunos. Por meio da prática da disciplina e do encorajamento, temos o poder de criar ambientes seguros e saudáveis para que os jovens possam desenvolver habilidades sociais e de vida necessárias para contribuir e prosperar no século XXI.

Ao longo da vida, poucos acontecimentos mudam o rumo do nosso destino, como um casamento, uma formação superior, ter filhos, mudar-se para outro país etc. Certamente, temos que incluir nesta lista a prática da Disciplina Positiva, a qual mudou nossas vidas de maneira significativamente positiva, e tem mudado a vida das pessoas que aprendem conosco.

Atuando de forma independente como treinadoras certificadas em Disciplina Positiva, percebemos que os educadores no Brasil estão à procura de uma abordagem efetiva em curto e longo prazo, mas que também capacitem os jovens a desenvolverem habilidades que os preparem para a crescente pressão escolar e, consequentemente, para serem adultos mentalmente saudáveis e contribuintes em nossa sociedade. Graças aos ensinamentos de Adler, Dreikurs, Nelsen, Lott e tantos outros autores da Disciplina Positiva, temos ao nosso alcance hoje alternativas para lidar com os comportamentos desafiadores dos nossos alunos e filhos de uma forma eficiente e enriquecedora, alcançando relações mais harmoniosas e felizes.

As tradutoras
Fevereiro de 2017

SOBRE AS TRADUTORAS

Bete P. Rodrigues

Professora, coordenadora e diretora de escolas há mais de 30 anos, atua como consultora educacional e palestrante em várias cidades do Brasil (www.betep rodrigues.com.br). Mestre em Linguística Aplicada, *Life/Parenting coach* formada pelo ICI (International Coaching Institute), *Positive Discipline Trainer* certificada, membro da Positive Discipline Association, Professora do curso de formação de professores na COGEAE-PUC/SP e administradora da página Disciplina Positiva Brasil no Facebook. Bete realizou a tradução do primeiro livro da Dra. Jane Nelsen sobre Disciplina Positiva para o português (publicado pela Editora Manole em 2015) e teve a honra de tê-la, ao lado de Lois Ingber, como *trainer* em sua formação como Treinadora Certificada para pais pela Positive Discipline Association.

Fernanda Lee, M.A.Ed

Fundadora do portal da Disciplina Positiva no Brasil (www.disciplinapositiva.com.br), atua como orientadora educacional em escolas na Califórnia (EUA). Mestre em Educação, certificada como Treinadora em Disciplina Positiva para pais e professores, membro da Positive Discipline Association, membro da American School Counselor Association, certificada em Play Therapy, *coach* para pais e escolas. Fernanda conta desde 2012 com a intensa supervisão da autora Dra. Jane Nelsen, que além de mentora se tornou uma grande amiga. Em 2015, organizou e acompanhou sua primeira vinda ao Brasil, onde formaram a primeira turma de professores, pais e profissionais da área da saúde certificados nessa abordagem. Atua no Brasil e nos Estados Unidos, onde reside.

AGRADECIMENTOS

Gostaríamos de agradecer ao nosso editor de projetos, Nathan Roberson. Ele foi excepcionalmente rápido para responder a todas as nossas necessidades e nos guiar com tanta paciência.

Obrigada a Paula Gray, por trazer vida ao nosso texto com suas belas ilustrações, e Adam DeVito por suas ilustrações da Roda de Escolha e dos icebergs.

Queremos também agradecer aos muitos professores e administradores que nos forneceram comentários valiosos sobre como nossas ideias têm sido úteis na criação das salas de aula que almejam. Compartilhamos algumas de suas histórias neste livro.

Nunca poderemos mostrar gratidão suficiente pela Positive Discipline Association (www.positivediscipline.org) e pelos treinadores e treinadores líderes certificados em Disciplina Positiva, e por tudo o que eles fazem para fornecer treinamento e suporte contínuo para as muitas pessoas dedicadas e entusiastas que estão compartilhando a Disciplina Positiva com pais e professores no mundo todo.

1

DISCIPLINA POSITIVA: UM MODELO DE ENCORAJAMENTO

Uma criança precisa de encorajamento como uma planta precisa de água.
É essencial para o crescimento e o desenvolvimento saudáveis.

Rudolf Dreikurs

Muitas pessoas pensam que o estudo acadêmico é o propósito da escola e que programas disciplinares devem apoiar a excelência acadêmica. Portanto, os adultos utilizam abordagens disciplinares comuns baseadas em recompensa e punição, em um esforço para *controlar* os alunos. No entanto, pesquisas indicam que, se não forem ensinadas habilidades socioemocionais às crianças, elas terão dificuldade para aprender e os problemas de disciplina aumentarão.

A Disciplina Positiva é uma abordagem diferente. Imagine um trem tentando chegar ao seu destino em apenas um trilho. Isso não é possível. O trem precisa de dois trilhos, assim como nossas escolas. O primeiro trilho é o acadêmico, e o segundo trilho é o desenvolvimento socioemocional. A Disciplina Positiva é composta por métodos que convidam os alunos a focar em soluções em vez de serem receptáculos de punições e recompensas. As escolas que têm utilizado este sistema integrado (os dois trilhos lado a lado) relatam que os desafios de comportamento diminuem e que a excelência acadêmica aumenta.

Anos atrás, uma das autoras estava lutando para aprender a usar o computador – ela se perguntava se valia a pena todo o esforço. Então, ela ouviu alguém dizer: "É tarde demais para decidir se deve haver um *trem eletrônico*. A escolha agora é quando embarcar nesse trem." Essas palavras ecoaram em sua mente a cada nova descoberta eletrônica. Seu mundo está lotado de eletrônicos que tornam a sua vida mais fácil e mais interessante. Ela está feliz por ter embarcado nesse trem. Agora que você já foi apresentado aos dois trilhos da Disciplina Positiva, esperamos que você queira embarcar nesse trem.

Antes de balançar a cabeça e dizer: "De jeito nenhum! Eu não consigo lidar com mais nada na minha sala de aula atarefada", nós esperamos que você considere isto: a Disciplina Positiva tornará sua vida mais fácil. De verdade! Se você é um professor gentil e firme, que foca na parte acadêmica enquanto ensina habilidades socioemocionais, você já embarcou no trem. Se você está se perguntando se gostaria de seguir a abordagem da Disciplina Positiva em sua sala de aula, aqui estão algumas perguntas para você considerar:

1. Você quer que seus alunos sejam capazes de tomar decisões?
2. Você quer que seus alunos aprendam resiliência?
3. Você quer que seus alunos aprendam responsabilidade (habilidade de resposta)?
4. Você quer que seus alunos aprendam cooperação?
5. Você quer que seus alunos aprendam habilidades de escuta?
6. Você quer que seus alunos aprendam a ter autocontrole?
7. Você quer que seus alunos fiquem confortáveis para assumir responsabilidade?
8. Você quer proporcionar um fórum no qual os outros possam dizer como eles foram afetados pelo comportamento agressivo?
9. Você quer ajudar os alunos a aprender a reparar os erros que ferem os outros?
10. Você quer uma sala de aula na qual os alunos estão aprendendo as qualidades e pontos fortes para desenvolver bom caráter?
11. Você quer uma sala de aula na qual a excelência acadêmica possa acontecer porque os alunos são incentivados a gostar de aprender?

Os professores treinados em Disciplina Positiva criam salas de aula nas quais os jovens são tratados com respeito, têm coragem e prazer de aprender, e têm a oportunidade de aprender as habilidades que eles precisam para uma vida bem-sucedida. A proposta da Disciplina Positiva é ter escolas nas quais as crianças nunca experimentem humilhação quando falham, mas em vez disso se sintam empoderadas pela oportunidade de aprender com seus erros em um ambiente seguro. Muitas das habilidades socioemocionais que os alunos aprendem estão representadas nas Sete Percepções e Habilidades Significativas.[1]

Três percepções empoderadoras que ajudam as crianças a ter sucesso na escola e na vida

1. Eu sou capaz.
2. Eu contribuo de maneira significativa e sou genuinamente necessário.
3. Eu uso o meu poder pessoal para fazer escolhas que influenciam positivamente o que acontece comigo e com minha comunidade.

Quatro habilidades empoderadoras que ajudam as crianças a ter sucesso na escola e na vida

1. Eu sou disciplinado e tenho autocontrole.
2. Eu posso trabalhar com os outros de forma respeitosa.
3. Eu entendo como meu comportamento afeta os outros.
4. Eu posso desenvolver sabedoria e habilidades de julgamento por meio da prática diária.

Uma descrição de como os métodos da Disciplina Positiva ensinam as Sete Percepções e Habilidades Significativas é apresentada a seguir.

EU SOU CAPAZ

Para desenvolver uma crença nas suas próprias capacidades pessoais, os jovens precisam de um clima seguro no qual eles possam explorar as consequências de suas escolhas e comportamentos sem julgamentos sobre sucesso ou fracasso – sem culpa, vergonha ou dor. Os métodos de Disciplina Positiva proporcionam um clima seguro no qual os alunos podem analisar seu comportamento, des-

---

[1] Para saber mais sobre as Sete Percepções e Habilidades Significativas, veja H. Stephen Glenn e Jane Nelsen, *Raising Self-Reliant Children in a Self-Indulgent World* (New York: Three Rivers Press, 2002), que dedica um capítulo para cada habilidade.

cobrir como ele afeta os outros e se empenhar em resolver problemas de forma eficaz para gerar mudança.

EU CONTRIBUO DE MANEIRA SIGNIFICATIVA E SOU REALMENTE NECESSÁRIO

Para desenvolver a crença da sua importância em relações primárias, os jovens precisam da experiência de serem ouvidos quanto aos seus sentimentos, pensamentos e ideias, e de serem levados a sério. Eles precisam saber: "Eu sou importante, e eu conto". Em uma sala de aula na qual se aplica a Disciplina Positiva, todos têm a oportunidade de expressar opiniões e dar sugestões em um processo organizado e respeitoso. Os alunos aprendem que podem contribuir significativamente para o processo de resolução de problemas e que podem acompanhar o processo até que as sugestões sejam escolhidas. Eles vivenciam o objetivo principal de todas as pessoas – o senso de aceitação e importância.

EU USO O MEU PODER PESSOAL PARA FAZER ESCOLHAS QUE INFLUENCIAM POSITIVAMENTE O QUE ACONTECE COMIGO E COM MINHA COMUNIDADE

Muitos professores não conseguem entender que os alunos têm poder pessoal e que irão usá-lo de uma forma ou de outra. Se não lhes são dadas oportunidades para usá-lo de maneira produtiva, eles provavelmente irão usá-lo de maneira destrutiva. Para desenvolver o uso saudável do poder em suas vidas, os jovens precisam de oportunidades para contribuir de forma útil, em um ambiente que os fortaleça e que também os responsabilize. Eles precisam aprender a compreender e aceitar o seu poder para criar um ambiente positivo. Uma sala de aula de Disciplina Positiva é um lugar onde os alunos podem vivenciar que é permitido cometer erros e aprender com esses erros. Em reuniões de classe, eles aprendem a assumir a responsabilidade pelos seus erros (comprometimento), porque, em vez de serem punidos, eles recebem apoio para explorar maneiras de aprender com seus erros. Eles também aprendem que, mesmo quando eles não podem controlar o que acontece, eles podem controlar sua resposta ao que acontece.

DISCIPLINA POSITIVA EM AÇÃO

Ainda me lembro da emoção que senti quando fui apresentada pela primeira vez à Disciplina Positiva porque parecia ser exatamente o que eu estava procurando naquele momento da minha vida profissional. Conheci a Disciplina Positiva por meio de uma professora assistente, que esteve comigo durante um ano inteiro. Tivemos uma turma muito desafiadora. Ela se afastou por um curto período para fazer um curso "multicultural" em uma escola problemática no centro de Seattle e me ligou assim que chegou para me contar sobre o programa incrível que a diretora tinha implementado. Aparentemente, era a chave que havia transformado aquele lugar. Adivinhe que programa foi esse?!

Para encurtar a história, eu tirei uns dias de folga e fui até lá para falar com a diretora, ver como o programa e as reuniões de classe funcionavam nos diversos anos, falar com os professores, observar os alunos etc. Fiquei chocada ao ver como as crianças eram respeitosas e como a escola era inclusiva. Voltei para casa com muitos materiais e toneladas de ideias para usar na minha própria sala de aula.

Eu simplesmente amei a ideia de fazer reuniões de classe, usar a pauta e dar às crianças uma chance para realmente ouvir, dar ideias e ajudar a resolver problemas dentro da sala de aula. Então, eu e minha assistente contamos o que estávamos fazendo aos outros professores da nossa escola e fomos até convidadas a fazer uma breve apresentação em outra escola na nossa cidade. Obviamente, não éramos especialistas, no entanto, acredito que nosso entusiasmo e os resultados positivos compensaram a nossa falta de preparo!

Christine Hamilton,
Eugene, Oregon, Estados Unidos

EU TENHO AUTODISCIPLINA E AUTOCONTROLE

A sala de aula que utiliza a Disciplina Positiva é um excelente ambiente para que os alunos possam nomear e reconhecer os seus sentimentos e desenvolver empatia e compaixão. Os jovens parecem estar mais dispostos a ouvir quando são ouvidos. Eles compreendem melhor suas emoções e comportamentos pelo parecer que recebem de seus colegas. Em um clima não ameaçador, os jovens estão dispostos a assumir responsabilidade por suas ações. Eles aprendem o que é sentimento e como separar os sentimentos de suas ações. Eles aprendem que o que eles sentem (raiva, por exemplo) é diferente do que eles fazem (bater em alguém) e que, embora sentimentos sejam sempre aceitáveis, algumas ações não são. Por meio do processo de resolução de problemas, eles aprendem maneiras proativas, em vez de reativas, para expressar ou lidar com seus pensamentos ou sentimentos. Eles desenvolvem autodisciplina e autocontrole por pensar nas consequências de suas escolhas e por aceitar as sugestões de soluções de outros alunos. A noção de convidar os alunos a explorar as consequências de suas escolhas é bastante diferente de impor uma consequência a eles, o que normalmente é uma punição mal disfarçada. Ao explorar as consequências das escolhas, os alunos aprendem com os seus erros em vez de tentar escondê-los ou defendê-los.

EU POSSO TRABALHAR RESPEITOSAMENTE COM OS OUTROS

A sala de aula que utiliza a Disciplina Positiva oferece as melhores oportunidades possíveis para os jovens desenvolverem habilidades sociais por meio do diálogo e de conversas, de escuta e empatia, de cooperação, negociação e resolução de conflitos. Quando um problema de comportamento surge, os professores, em vez de se apressarem para resolvê-lo para os alunos, podem colocá-lo na pauta da reunião de classe, usar os Quatro Passos para Resolução de Problemas ou, ainda, instruir os alunos na utilização da Roda de Escolha. Todos esses métodos, discutidos no Capítulo 7, permitem que alunos e professores trabalhem em conjunto no desenvolvimento de soluções com as quais todos saem ganhando.

EU ENTENDO COMO MEU COMPORTAMENTO AFETA OS OUTROS

A sala de aula que utiliza a Disciplina Positiva é um lugar no qual os alunos podem responder aos limites e consequências da vida cotidiana com responsabilidade, resiliência e integridade. Eles aprendem que é seguro assumir a responsabilidade por seus erros, porque não vão sentir culpa, vergonha ou dor. Eles aprendem a desistir da mentalidade de vítima e culpar os outros ("O professor me deu uma nota baixa") e a aceitar uma mentalidade de responsabilidade ("Eu recebi uma nota baixa porque não fiz o trabalho").

EU POSSO DESENVOLVER SABEDORIA E HABILIDADES DE JULGAMENTO POR MEIO DA PRÁTICA DIÁRIA

Os jovens desenvolvem habilidades de julgamento apenas quando têm oportunidades de avaliar problemas estando socialmente conscientes e cientes do que está acontecendo ao seu redor. Quando um problema surge em uma sala de aula de Disciplina Positiva, os alunos exploram o que aconteceu, o que causou isso, como seu comportamento afeta os outros e o que eles podem fazer para prevenir ou resolver esse problema no futuro. Dessa forma, aprendem a responder às necessidades da situação.

• • •

Os alunos que são fracos no desenvolvimento dessas três crenças e quatro habilidades estão em alto risco de desenvolver problemas graves, como *bullying*, abuso de drogas, gravidez na adolescência, suicídio, delinquência e envolvimento com gangues. Eles também correm o risco de desenvolver crenças menos graves, mas muito incômodas, como prepotência e falta de motivação. Os alunos que adquirem essas Sete Percepções e Habilidades Significativas correm menos risco de desenvolver esses problemas graves e indesejáveis. Portanto, é extremamente importante que os jovens tenham a chance de aprender essas percepções e habilidades, e a Disciplina Positiva proporciona uma excelente oportunidade para que isso aconteça.

Juntando tudo

A Disciplina Positiva é eficaz quando os professores estão dispostos a abrir mão do controle sobre os alunos e a trabalhar com eles de forma cooperativa. Professores que aprendem a fazer mais perguntas e dar menos sermões desenvolvem uma verdadeira curiosidade sobre os pensamentos e opiniões dos seus alunos.

Quando os alunos são encorajados a expressar suas opiniões, têm escolhas em vez de ordens e usam habilidades de resolução de problemas em grupo, a atmosfera da sala de aula melhora e se torna um exemplo de cooperação, colaboração e respeito mútuo.

DISCIPLINA POSITIVA EM AÇÃO

Minha primeira experiência como professora do quinto ano foi extremamente difícil. Minha maneira de lidar com alunos desafiadores era simplesmente ser dura com eles e exigir que eles se comportassem. Bem, eu era dura, mas eles eram cada vez mais duros também. Quanto mais dura eu era, mais duros eles eram comigo! Eu finalmente percebi que ser cada vez mais dura não era a solução. Muitos dos meus alunos tinham irmãos em gangues ou pais na prisão. Eu não era tão durona assim! Então, o que eu realmente aprendi naquele primeiro ano de ensino foi o que não funcionava.

Os próximos anos foram um pouco melhores, mas eu ainda lutava entre ser muito gentil e, em seguida, ser totalmente malvada. Perguntei aos outros professores o que eles faziam em suas salas de aula "para fazer as crianças seguirem as instruções". Um professor que eu realmente respeitava me disse que ele desenhava um círculo na lousa e fazia o aluno colocar seu nariz no círculo! Eu decidi que precisava desvendar essa questão de gerenciamento de sala de aula sozinha. Eu jamais humilharia uma criança de propósito!

Nos anos seguintes de ensino, percebi que ser respeitosa e consistente com os meus alunos aumentou a vontade deles de colaborar. Mas eu ainda tinha dificuldades.

Então, eu tive a oportunidade de participar de um *workshop* de Disciplina Positiva para sala de aula. Esse *workshop* me marcou muito! Era sobre ser respeitoso com os alunos, desenvolvendo suas habilidades de cooperação, dando-lhes responsabilidade, deixando que eles se tornassem solucionadores de problemas, e muito mais! Eu me senti tão animada e energizada. Essas eram as habilidades que eu queria para os meus alunos (e para mim)!

Ensinar passou a ser cada vez melhor para mim. Eu aprendi a criar rotinas, funções para os alunos na aula e buscar soluções com os meus alunos. Fazíamos reuniões de classe todos os dias – incluindo reconhecimentos, elogios e resolução de problemas. Esse processo criou uma conexão dentro do grupo que eu nunca tinha experimentado antes. As crianças aprenderam a confiar umas nas outras, ajudar umas às outras e cuidar umas das outras. No geral, meus alunos queriam ser líderes positivos e se esforçavam para ser o seu melhor! Eu finalmente me senti uma professora eficaz e capaz!

Aprendi a ser uma líder e guia para os meus alunos, em vez de ser a chefe que controla. Meus alunos aprenderam que, além de leitura, escrita e matemática, eles também eram hábeis em comunicação, resolução de problemas e trabalho em equipe. Essas são importantes habilidades de vida!

Certa vez, no outono, uma mãe de um aluno do ano anterior veio me visitar. Ela queria me agradecer por todas as reuniões de classe e resoluções de problemas que tínhamos feito em sala de aula. Seu filho estava em uma nova escola naquele ano, com um professor que não estava sendo respeitoso com os alunos. Ele procurou o diretor de sua nova escola e perguntou se ele poderia organizar algumas reuniões de classe para ajudar o professor e os alunos! Seu filho se sentiu empoderado por influenciar tanto a sua classe como seu novo professor. Ele queria melhorar a situação, não culpando ou criticando, mas simplesmente discutindo o problema e ajudando os alunos e o professor a buscarem uma solução!

Dodie Blomberg,
Treinadora certificada em Disciplina Positiva, Mesa, Arizona,
Estados Unidos

2
DISCIPLINA POSITIVA: UMA MUDANÇA DE PARADIGMA

A tarefa mais importante de um educador – pode-se dizer o seu "santo dever" – é fazer com que nenhuma criança seja desencorajada na escola, e que uma criança que entre na escola já desencorajada recupere sua autoconfiança por meio de sua escola e seu professor. Isso vai ao encontro da vocação do educador, porque a educação só é possível com crianças que olham com esperança e alegria para o futuro.

Alfred Adler

Imagine como seria entrar em um mundo no qual tudo é diferente do mundo em que você foi criado. Talvez você tenha crescido querendo agradar os adultos. Você trabalhou duro para tirar boas notas para que seus professores e pais ficassem orgulhosos de você. Você tentou ser um bom filho, assim você evitaria punições. Você se tornou um viciado em receber aprovação dos outros. Não ocorreu a você que seus pensamentos e ideias deveriam ter importância a alguém.

Ou você pode ter sido uma daquelas crianças que lutavam contra o sistema. Você não ligava para recompensas. Você fazia o seu melhor para não ser pego e assim evitar punições, mas se você fosse pego... Bem, você se tornava um rebelde. Infelizmente, você estava mais focado em se rebelar contra os pensamentos dos outros do que em examinar seus próprios pensamentos.

Agora – ainda imaginando que você seja uma criança – você entrou em um mundo no qual os professores não utilizam punições e recompensas. Eles querem que você se concentre em soluções para problemas – junto com eles. Em vez de impor consequências a você, eles o encorajam a pensar sobre as consequências do seu comportamento e como isso afeta você e os outros. Eles acreditam que os erros são oportunidades para aprender e que, às vezes, você pode optar por "fazer uma pausa positiva" (em uma área que você ajudou a criar) para se sentir melhor antes de estar pronto para aprender.

Como você vai lidar com esse novo mundo? Nosso palpite é que não vai ser fácil desistir de sua dependência ou rebeldia contra adultos que usam os motivadores extrínsecos (punições e recompensas) em favor de aceitar a responsabilidade e trabalhar com aqueles que usam motivadores intrínsecos (ensinando habilidades para o bem comum e para a resolução de problemas de modo respeitoso).

Esse novo mundo pode não ser fácil também para os professores que estão acostumados a programas de disciplina baseados em behaviorismo. Da mesma forma, eles precisam de uma mudança de paradigma na sua consciência. A tabela a seguir pode ajudá-los a explorar a diferença entre duas escolas de pensamento.

DUAS ESCOLAS OPOSTAS DE PENSAMENTO SOBRE O COMPORTAMENTO HUMANO

Terry Chadsey e Jody McVittie, treinadores certificados em Disciplina Positiva

	Prática tradicional dominante nas escolas norte-americanas	Abordagem da Disciplina Positiva (focada em soluções)
Quem desenvolveu a teoria?	A prática comum, Pavlov, Thorndike, Skinner	Adler, Dreikurs, Glasser, Nelsen, Lott, Dinkmeyer
De acordo com a teoria, o que motiva o comportamento das pessoas?	Elas respondem a recompensas e punições no seu ambiente	As pessoas procuram um senso de aceitação (conexão) e importância (significado) no seu contexto social
Quando influenciamos mais o comportamento dos outros?	No momento em que respondemos a um comportamento específico	Em uma relação contínua fundamentada em respeito mútuo
Quais são as ferramentas mais poderosas para os adultos?	Recompensas, incentivos e punições	Empatia, compreensão das crenças do aluno, habilidade de resolução de problemas de forma colaborativa e acompanhamento gentil e firme
Qual é a resposta para o comportamento inadequado?	Censura, isolamento e punição	Conexão antes da correção, foco em soluções, acompanhamento e lidar com a crença por trás do comportamento
Qual é a resposta para o comportamento perigoso e destrutivo?	Censura, isolamento e punição	Garantir segurança, seguida de um plano para assumir erros e repará-los
Como a aprendizagem do aluno aumenta?	Quando o adulto tem controle efetivo sobre o comportamento do aluno	Quando o aluno aprendeu habilidades socioemocionais, desenvolveu autocontrole, sente-se conectado com os outros e faz contribuições na sala de aula

No início dos *workshops* e aulas sobre Disciplina Positiva, ajudamos os professores a se tornarem mais conscientes sobre a necessidade de mudança, pedindo-lhes para criar uma lista do que eles querem para seus alunos – que tipo de características e habilidades de vida eles esperam que seus alunos desenvolvam. Por mais de 30 anos, em diversos países, centenas de grupos criaram essas listas, e todas elas trazem essencialmente o mesmo:

Características e habilidades de vida

- Autoestima saudável
- Responsabilidade
- Autodisciplina
- Cooperação
- Gentileza
- Empatia
- Compaixão
- Respeito por si mesmo e pelos outros
- Habilidade de resolver problemas
- Senso de humor
- Resiliência
- Comprometimento
- Crença no poder pessoal
- Amor à natureza
- Honestidade
- Aprendizado ao longo da vida
- Automotivação
- Felicidade
- Consciência social

Você vai notar que essa lista não inclui excelência acadêmica. Em seguida, perguntamos aos professores quantos achavam que essas características e habilidades de vida são tão importantes quanto as habilidades acadêmicas. Todos levantaram as mãos. Então eles disseram que essas características e habilidades de vida são ainda mais importantes do que as acadêmicas porque as crianças devem ter essas qualidades para aprender. Em seguida, pedimos aos professores para fazerem uma lista de comportamentos desafiadores. Essas listas também são muito semelhantes, independentemente do país de origem:

Comportamentos desafiadores

- Não escutar
- Retrucar
- Não ter motivação
- Usar linguagem chula
- Interromper
- Ter problemas com lição de casa
- Atrasar
- Dormir em sala de aula
- Brigar
- Reclamar

- Ter ataques de birra
- Enviar constantes mensagens de texto
- Ser viciado em redes sociais
- Provocar
- Agir impetuosamente
- Praticar *bullying*

Em seguida, mostramos aos professores como eles podem usar os comportamentos desafiadores como uma oportunidade para ensinar as características e habilidades de vida que eles querem para seus alunos. Eles aprendem isso a partir de sua própria experiência ao participar de uma atividade divertida chamada "perguntar *versus* mandar".

ATIVIDADE: "PERGUNTAR *VERSUS* MANDAR"

OBJETIVO

Mostrar aos professores como usar os comportamentos desafiadores como oportunidades para ensinar as características e habilidades de vida que eles querem para seus alunos.

INSTRUÇÕES

1. Peça a um voluntário que faça o papel de aluno; em seguida, peça para mais 16 voluntários fazerem o papel de professores.
2. Divida os "professores" em duas filas, oito em cada fila. Os oito "professores" de uma fila terão frases com ordens, e os da outra fila terão frases com perguntas.
3. Instrua o "aluno" a ouvir todos os "professores" que têm frases com ordens. O "aluno" para na frente de cada "professor" e ouve o que ele ou ela tem a dizer sem dizer nada em resposta. O "aluno" deve apenas perceber o que ele ou ela está pensando, sentindo e decidindo.

FRASES COM ORDENS

- Você sabe que tem que fazer sua lição de casa antes de vir para a aula!
- Não se esqueça de levar o seu casaco com você para o intervalo, e não se esqueça de vesti-lo – está frio lá fora!
- Se você não fizer o seu trabalho em sala de aula, você vai ficar no intervalo para terminá-lo!

- Guardem seus papéis, coloquem seus livros de volta na prateleira e limpem tudo antes de sair da sala de aula!
- Por que não consegue se sentar quietinho como a Sally?
- Pare de choramingar e reclamar!
- Chega! Quem começou isso?
- Você acabou de levar um cartão vermelho por não parar de falar.

4. Depois de ouvir essas frases, o "aluno" conta o que ele ou ela está pensando, sentindo e decidindo. Então, a lista de características e habilidades de vida é mostrada ao "aluno" e perguntamos se ele ou ela está aprendendo alguma daquelas qualidades. A resposta é quase sempre "não".

5. Em seguida, o "aluno" ouve todos os "professores" que têm frases com perguntas. Ele ou ela fica na frente de cada um dos "professores", ouvindo o que eles têm a dizer, sem dizer nada em resposta – apenas observando o que ele ou ela está pensando, sentindo e decidindo.

FRASES COM PERGUNTAS

- O que você precisa trazer para estar preparado para a aula?
- O que você vai usar se quiser estar quentinho lá fora no intervalo?
- O que você precisa fazer para acabar seu trabalho antes de a aula terminar?
- O que você precisa fazer para limpar sua mesa e a sala de aula antes de sair?
- Quem pode me mostrar como nós nos sentamos quando estamos prontos para a próxima aula?
- Como você pode falar comigo para que eu possa ouvir o que você está dizendo?
- Como vocês dois podem resolver esse problema?
- Qual foi o nosso acordo sobre não perturbar os outros durante os momentos de silêncio?

6. Depois de ouvir as frases com perguntas, o "aluno" conta o que ele ou ela está pensando, sentindo e decidindo. Os professores que ouvem atentamente aprendem que as frases com perguntas são muito mais eficazes para ajudar os alunos a aprender habilidades de raciocínio e cooperação. Mostramos, então, a lista de características e habilidades de vida novamente ao "aluno" e perguntamos se ele ou ela está aprendendo alguma daquelas qualidades. A resposta é quase sempre "a maioria delas".

Essa atividade ilustra a diferença entre o behaviorismo, no qual dizemos às crianças o que fazer (e damos recompensas para o cumprimento das ações e punição para o não cumprimento), e a Disciplina Positiva, em que as crianças são convidadas a refletir sobre o que fazer.

Por que é tão mais eficaz fazer perguntas do que mandar? Mandar geralmente cria resistência fisiológica no corpo. A mensagem que é enviada para o cérebro é: *"resista"*. Em contrapartida, perguntar respeitosamente cria um relaxamento no corpo e a mensagem que é enviada ao cérebro é: *"busque uma resposta"*. O aluno se sente respeitado, aprecia o fato de estar envolvido, se sente mais capaz e geralmente resolve cooperar.

FANTASIA *VERSUS* REALIDADE

Muitos professores fantasiam sobre inspirar as crianças a gostar de aprender, mas muitas vezes essa fantasia é dificultada pela realidade dos comportamentos desafiadores. Anos de pesquisa em universidades de renome têm mostrado que as punições e recompensas não são eficazes para a mudança de comportamento em longo prazo,[1] mesmo assim os gestores educacionais continuam a incluir programas de disciplina baseados em punições e recompensas. Esses programas parecem ajudar porque eles solucionam muitos problemas de disciplina imediatamente. No entanto, os efeitos negativos em longo prazo sobre as crianças não são considerados.

Para ajudar a explicar esse dilema, usamos a analogia do *iceberg* sobre o comportamento humano.

---

[1] Alfie Kohn, *Punished by Rewards: The Trouble with Gold Stars, Incentive Plans, A's, Praise, and Other Bribes* (Boston: Houghton Mifflin, 1993, 1999), cita centenas de pesquisas (encontradas em revistas acadêmicas) que mostram a ineficácia em longo prazo de punições e recompensas. Kohn mostra que, enquanto manipular as pessoas com incentivos parece funcionar em curto prazo, a estratégia acaba por falhar e gera danos duradouros. Ele argumenta que nossos relacionamentos em locais de trabalho e salas de aula continuarão a decair, se não deixarmos de confiar em uma teoria de motivação que foi baseada em animais de laboratório.

A ANALOGIA DO *ICEBERG* E O COMPORTAMENTO HUMANO

Muitos programas de disciplina abordam apenas a ponta do *iceberg* – a parte que você pode ver, o comportamento do aluno. Eles tentam controlar o comportamento usando punições e recompensas. A Disciplina Positiva aborda a ponta do *iceberg* e a parte debaixo d'água.

O psicólogo Rudolf Dreikurs ensinou que as crianças que se comportam mal são crianças que estão desencorajadas. Em outras palavras, quando as crianças acreditam que elas não são aceitas, elas "se comportam mal" – elas escolhem um caminho equivocado para sentir que são aceitas e importantes. Quando os professores abordam apenas o comportamento (a parte que eles veem), eles não lidam com o desencorajamento que motiva o comportamento. Chamamos a parte que está escondida sob a superfície de "crença por trás do comportamento".

É compreensível que os professores, como a maioria dos adultos, lidem com o que está na superfície. Eles provavelmente nunca pensaram nos alunos como *icebergs* e, mesmo se já pensaram, podem não ter as ferramentas ou o conhecimento para navegar ao redor da parte submersa do *iceberg*. Os professores podem facilmente se enganar e acreditar que o problema é o comportamento, em vez da crença por trás do comportamento. Quando os professores abordam apenas o comportamento, muitas vezes eles geram mais desencorajamento, aumentando assim o mau comportamento.

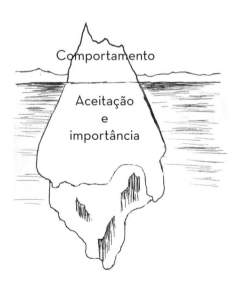

COMPREENDENDO A PARTE SUBMERSA DO *ICEBERG*

As crianças continuamente tomam decisões subconscientes baseadas em suas percepções e conclusões de suas experiências de vida. Algumas dessas decisões são sobre si mesmas, como: "Eu sou bom ou mau? Capaz ou incapaz? Importante ou sem importância?". Outras são decisões sobre outras pessoas: "Os outros estão me encorajando ou desencorajando? Ajudando ou machucando? Eles gostam ou não gostam de mim?". E também há as decisões sobre o mundo: "O mundo é seguro ou assustador? Acolhedor ou perigoso? Um lugar em que eu possa progredir ou um lugar em que eu precise tentar sobreviver?".

As crianças não estão conscientes de que estão tomando essas decisões – centradas em sua necessidade de serem aceitas e se sentirem importantes –, mas essas decisões se tornam crenças que afetam seu comportamento.

Quando as crianças se sentem seguras – quando sentem que são aceitas e importantes –, elas progridem. Elas se tornam pessoas capazes e com as características e habilidades de vida que os professores querem que elas tenham. Quando as crianças acreditam que não são aceitas e importantes, elas adotam o comportamento de sobrevivência. O comportamento de sobrevivência, muitas vezes chamado de mau comportamento, é baseado em ideias equivocadas sobre como encontrar aceitação e importância. (Discutiremos essa distinção mais detalhadamente no Cap. 4.)

Acreditamos que o resultado em longo prazo do uso de punições e recompensas para motivar o comportamento é o desencorajamento. Crianças que gostam de recompensas rapidamente dependem delas para se sentirem motivadas e não querem ser membros úteis da sociedade por uma satisfação interna – para se sentir bem ao fazer o que é certo, mesmo quando ninguém está olhando. Os resultados em longo prazo da punição são descritos a seguir:

Os Três "R" da Punição

1. Rebeldia: "Eles não podem me forçar. Eu vou fazer o que eu quero."
2. Retaliação: "Eu vou me vingar e ferir de volta, mesmo se prejudicar meu futuro."
3. Recuo:
    a. Baixa autoestima: "Eu devo ser uma pessoa má."
    b. Dissimulação: "Eu não vou ser pego da próxima vez."

DISCIPLINA POSITIVA EM AÇÃO

Eu uso o tempo da reunião de classe para ajudar os meus alunos do quarto ano a conhecer uns aos outros e a apreciar as qualidades positivas uns dos outros. Para ajudá-los a praticar reconhecimento e elogios, no início do ano durante uma reunião de classe, eu sorteio o nome de um aluno. Os colegas mencionam todos os pontos fortes e qualidades únicas dessa pessoa, enquanto eu tomo notas. É incrível como os alunos conseguem notar tantas coisas positivas e maravilhosas sobre os outros.

Então, com minhas anotações dessa reunião de classe, eu faço um cartaz para cada criança, incluindo todas as qualidades positivas registradas e uma foto dela. Esses cartazes ficam expostos fora da minha sala de aula do quarto ano para toda a escola ver. Esse processo cria um senso de comunidade e reconhece os alunos por suas qualidades únicas e contribuições. Os alunos têm a oportunidade de ouvir o ponto de vista de seus colegas e o meu sobre eles – como isso é encorajador! No meio do ano, depois que os cartazes ficaram pendurados no corredor por algum tempo, eles são enviados para casa para que os alunos possam compartilhar com sua família.

Sra. Ohlin, uma professora do quarto ano,
Sandy Springs, Georgia, Estados Unidos

Sabendo que os Três "R" são o resultado em longo prazo da punição, por que tantos programas se baseiam em um modelo que inclui punição – como as bolinhas de gude em um frasco, comum em anos anteriores, ou o sistema de cartões coloridos, popular nos Estados Unidos hoje em dia? Talvez os gestores educacionais e professores que utilizam sistemas de punição não compreendam os efeitos em longo prazo sobre os alunos (baseados nas decisões que fazem sobre si mesmos) e suas famílias. Talvez eles estejam procurando por algo "simples" para solucionar o problema de comportamento. Talvez eles pensem que o sistema "funciona" por causa dos resultados em curto prazo.

O sistema de cartões coloridos é um daqueles programas baseados em punição que parecem obter mais resultados imediatos. No entanto, vários pais (e dois professores) compartilharam as suas experiências desanimadoras com o sistema de cartões coloridos em uma rede social de Disciplina Positiva.

> ## DISCIPLINA POSITIVA EM AÇÃO
>
> Hoje um menino de 4 anos teve um ataque de fúria na mesa de artes, gritando que ele estava "bravo, frustrado e triste". Meu assistente o acompanhou até nossa almofada confortável, onde ele se enrolou em um cobertor, agora só gritando sem palavras e chutando a almofada. Ele se recusou a falar com o assistente, apenas continuou a gritar. Eu me sentei ao lado dele e sussurrei: "Eu preciso de um abraço". Ele continuou a gritar e se contorcer. Depois de uns 15 segundos, eu repeti: "Eu preciso de um abraço". Ele parou de gritar e se agitar, mas se manteve de costas para mim. Dez segundos depois, eu falei: "Eu preciso de um abraço". Longa pausa. Ele se virou, subiu no meu colo e me abraçou. Perguntei-lhe se ele queria voltar para a mesa de artes sozinho ou se ele queria que eu fosse com ele. Ele me pediu para ir com ele. Ele voltou, terminou seu trabalho feliz e saiu da mesa.
>
> *Steven Foster, assistente social clínico, especialista em educação infantil que trabalha com crianças com necessidades especiais e treinador de Disciplina Positiva*[2]

"Meu filho começou no jardim de infância ontem", escreveu uma mãe chamada Lori, "e eu preciso de conselhos. Ontem e hoje sua professora chamou os alunos um de cada vez para serem liberados aos pais. Notei que a professora está usando esse momento como uma oportunidade para informar sobre o comportamento da criança. Ela diz coisas como: 'Ele teve um ótimo dia hoje – bom trabalho, mamãe!', com um grande sorriso no rosto, ou ela lista os 'crimes' que a criança cometeu durante o dia. Eu fui uma das sortudas cujo filho foi liberado no final, então eu não tive que ser humilhada quando ela relatou que 'ele teve um bom dia, mas recebeu um cartão vermelho à tarde'. Hoje eu jurei que iria pegar meu filho pela mão, acenar e me despedir antes que ela tivesse a oportunidade de nos constranger na frente dos outros. Meu filho mesmo me contou depois da escola – ele ficou de castigo porque recebeu um cartão vermelho. Perguntei-lhe o que aconteceu e como ele poderia evitar isso no dia seguinte, e seguimos com a nossa tarde.

---

2   Jane Nelsen, Steven Foster e Arlene Raphael, *Positive Discipline for Children with Special Needs* (New York: Three Rivers Press, 2011), p. 55.

Meu marido e eu estamos muito chateados, e ele acha que eu preciso dizer algo para a professora. É realmente muito triste ver as expressões nos rostos das crianças e dos pais – isso parte meu coração, porque eles parecem arrasados. Embora eu entenda o ponto de vista do meu marido, não quero começar "com o pé esquerdo" com a professora ao inadvertidamente ofendê-la. O que pode acontecer se ela achar que eu estou atacando sua abordagem como professora?

Socorro! Devo dizer alguma coisa e, se devo, vocês têm algum conselho sobre como eu deveria me aproximar dela?"

Uma outra mãe contou a seguinte história: "Meu filho está no terceiro ano. Ele está constantemente tendo que 'mover o seu cartão' (naquele quadro de comportamento com cores horroroso que tantos professores estão usando esses dias) e é obrigado a se sentar sozinho – longe de seus colegas de classe, ou ele fica suspenso do intervalo.

Na semana passada, ele foi mandado para a diretoria três vezes! Uma vez por interromper sete vezes enquanto o professor estava dando aula (buscando a atenção de seus colegas), uma vez por rabiscar uma mesa e não ter parado depois de terem pedido, e uma terceira vez por ter revirado os olhos para o professor. Estou muito cansada de ouvir todos os comentários negativos por parte dos professores. Quando ele tem problemas na escola, eu devo tirar os *videogames* e outros privilégios em casa. Eu não quero fazer isso, mas o meu marido acha que devemos – então brigamos por causa disso e nós dois nos sentimos pais terríveis. Alguém perguntou se o sistema de cartões coloridos ajudou meu filho. Claro que não."

Duas professoras opinaram sobre o sistema de cartões coloridos:

"Como professora", escreveu Jennifer, "eu sempre gosto de ouvir o ponto de vista dos pais para que eu possa melhorar minha própria gestão da sala de aula. Tenho a sorte de trabalhar em uma escola que acabou com o uso de cartões esse ano. Sim! Do ponto de vista da Disciplina Positiva, eu não gostava de usá-los. Além disso, eu achava esse sistema chato durante a aula e acabava me esquecendo de usá-lo. Eu certamente não posso falar por todos os professores, mas eu não ficaria ofendida se os pais trouxessem a mim suas preocupações. Eu ficaria envergonhada por não ter percebido como isso poderia afetar a eles e a seus filhos. Estou certa de que a intenção é boa".

"Como Jennifer, eu sou uma professora", escreveu Heather. "Eu sou professora do primeiro ano e uso a Disciplina Positiva há anos, mas a grande maioria dos professores na minha escola não. O sistema de cartões é um dos favoritos de muitos deles e, tal como outros professores que adotam a Disciplina Positiva aqui, eu acho esse sistema horrível. Eu poderia falar *para sempre* sobre esse tópico, mas eu acho que prefiro compartilhar como é maravilhoso saber que muitos pais estão cientes de como o sistema de cartões pode ser prejudicial, assim como um professor que humilha publicamente o comportamento de um aluno, e que os pais estão dispostos a se posicionar.

De todos os professores da minha escola que usam o sistema de cartões, eu realmente não consigo pensar em ninguém que não estivesse pelo menos aberto a ouvir as preocupações dos pais. Se você apresentá-las de uma forma respeitosa (e talvez usar alguma das perguntas que estimulam a curiosidade), acredito que o professor do seu filho vai realmente ouvi-lo. Talvez acrescentar algo como: 'Eu sei o quanto você se importa com os seus alunos e, sabendo que você conhece meu filho por apenas alguns dias, eu tenho certeza de que você não estava ciente de como ele se sente ansioso quando chega a hora de ir para a escola.'"

Nós não acreditamos que as crianças devam "se safar" com comportamento inaceitável. Este livro está repleto de ferramentas não punitivas e sem recompensas para ensinar às crianças comportamentos socialmente aceitáveis. E assim como é preciso tempo para que as crianças aprendam habilidades acadêmicas, é preciso tempo para que elas aprendam habilidades sociais.

Pense sobre o que é preciso para que uma criança aprenda a falar – anos de exemplo, primeiro dizer uma palavra, então ouvir mais exemplos e encorajamento para aprender frases, e mais alguns anos para continuar desenvolvendo e aperfeiçoando a linguagem. Por que esperamos resultados imediatos para outros tipos de aprendizagem? E como as crianças aprenderiam a falar se elas fossem humilhadas e punidas cada vez que errassem? As crianças aprendem o que vivem. Se quisermos que os nossos filhos cresçam aprendendo a ser gentis, firmes e respeitosos, temos de garantir que essa é a maneira que eles vivem.

Vamos fazer uma viagem pelo tempo, para o futuro. A história a seguir vem de Lynn Lott, coautora deste livro e psicoterapeuta, que nos fala sobre uma menina de 16 anos que ficou em apuros quando estava no jardim de infância.

"Ontem eu trabalhei com uma garota de 16 anos que foi encaminhada para mim porque teve problemas graves de estômago, durante mais de um ano, sem origem médica. Nós trabalhamos com suas memórias de infância para conhecer suas crenças fundamentais que foram criadas durante seus primeiros anos. A primeira memória que ela teve foi do jardim de infância, em que ela foi corrigida quatro vezes por falar na sala de aula e encaminhada para sentar-

-se na cadeira do pensamento, uma situação humilhante e embaraçosa, mesmo aos 5 anos de idade.

Depois de ter sido punida na escola (primeira punição), seus pais foram chamados para uma reunião, e o professor explicou que sua filha (filha única) não teria permissão para ir ao parquinho porque ela falava demais (segunda punição). Quando a criança chegou em casa, seus pais deram um sermão e a puniram tirando seus brinquedos (terceira punição).

DISCIPLINA POSITIVA EM AÇÃO

Isto aconteceu hoje na minha aula de habilidades sociais para pré-escolares. Ryan estava tendo uma manhã terrível, batendo nas outras crianças repetidamente, mandando adultos se calarem, fugindo etc. Perto do final do dia, eu o trouxe para um canto e descrevi seu dia. Eu disse a ele que parecia que ele estava tendo um dia muito difícil. As crianças estavam bravas com ele. Ele estava dizendo aos adultos para calarem a boca. Previsivelmente, ele me disse para calar a boca... Mais uma vez. Perguntei-lhe se alguma coisa havia acontecido em casa, que o estivesse incomodando.

"Cala a boca!"

Eu disse que eu realmente queria ajudá-lo, mas eu não sabia o que fazer.

"Cala a boca!"

Eu perguntei se ele queria um abraço.

"Não!"

Eu disse: "Hum... Você está se sentindo muito irritado e não quer um abraço. Quer saber? Eu preciso de um abraço. Você vai me dar um?"

Ele me encarou por um longo tempo. Eu não disse nada.

Ele se lançou em minha direção e me apertou.

"Uau, isso que é um abraço bom! Eu gostaria de outro assim."

Ele me deu outro abraço.

Então fomos tomar um lanche. A vida dele ainda está um caos, mas seus últimos dez minutos de aula correram sem problemas.

Poderoso.

Parece que pedir abraços é útil mesmo nos momentos de ataques.

Steven Foster, assistente social clínico

Ela decidiu não se arriscar e tentar ficar longe de problemas. Sua versão de ficar longe de problemas era e é não ser notada, inclusive tirando notas medíocres para não se destacar. Ela ficava nervosa quando tirava notas altas, então se esforçava para tirar notas medianas para que ninguém esperasse muito dela. Ela parou de se preocupar com a escola ou achar que isso fosse importante. Infelizmente, essa decisão a deixou doente."

O uso excessivo de punição não é diferente de uma forma de abuso. Se os pais e professores soubessem que ao usar abordagens punitivas estão criando problemas para a vida toda, muito provavelmente eles buscariam alternativas. Eles simplesmente não entendem ou não consideraram os resultados em longo prazo de seus métodos.

Este livro está recheado de alternativas. Se tivéssemos de escolher apenas uma delas para o sistema de cartões coloridos, seria perguntar a um aluno que está se comportando de forma inadequada: "Como podemos resolver este problema?". Isto não faz com que as crianças se sintam humilhadas. Pelo contrário, pode ajudá-las a se sentirem capazes e ensiná-las a se concentrarem em soluções para seus erros. Para outras variações referentes ao tema soluções, consulte o Capítulo 7.

3
ESTILOS DE LIDERANÇA

Nós podemos transformar toda a nossa vida e a atitude das pessoas à nossa volta simplesmente ao mudarmos a nós mesmos.

Rudolf Dreikurs

Um dos aspectos tristes do ensino é que muito frequentemente os professores não veem o fruto do seu trabalho. Eles plantam as sementes, mas não experimentam a colheita. Porém, em uma sala de aula na qual a Disciplina Positiva é aplicada, o professor não tem que fazer todo o trabalho e o plantio sozinho, e os benefícios de um estilo de liderança gentil e firme são quase imediatamente observados.

Cidadania responsável requer um alto grau de interesse social – o desejo e a habilidade de contribuir de maneira útil socialmente. Em uma sala de aula na qual a Disciplina Positiva é aplicada, os alunos resolvem os problemas juntos e aprendem as ferramentas de respeito mútuo, cooperação e colaboração. Eles vivenciam o uso positivo do seu poder, e esse empoderamento interno reduz a necessidade de criar problemas para se sentirem poderosos.

A história a seguir exemplifica a colheita prematura de alunos aprendendo a serem cidadãos responsáveis.

DISCIPLINA POSITIVA EM AÇÃO

Que não haja dúvida de que nossos alunos estão aprendendo a dar voz a seus pensamentos, a resolver problemas e a colaborar! Eu tenho uma história para contar que me fez chorar. As reuniões de classe são uma parte fundamental na abordagem da Disciplina Positiva, similares às reuniões de família dentro dos lares, e todos os nossos alunos participam das reuniões de classe de maneira regular.

Este ano, nossos alunos do quarto ano aprenderam a conduzir suas próprias reuniões de classe, nas quais eles são responsáveis pela pauta e por seguirem os passos da resolução de problemas. Há algumas semanas, um professor compartilhou comigo que vários alunos do quarto ano conduziram reuniões durante a hora do almoço, e eles estavam conversando sobre formar um grupo e realizar eleições. Algumas semanas mais tarde, outro professor compartilhou comigo que os alunos do quarto ano queriam fazer cartazes para mostrar apoio ao povo da Líbia com relação à injustiça que estavam vivenciando.

Em seguida, outro grupo de alunos do quarto ano veio até a diretoria pedindo que nos reuníssemos para conversar sobre o grupo que foi formado – e olhando a minha agenda e a deles, nós decidimos nos encontrar ontem durante o intervalo. Quando cheguei ao trabalho pela manhã, deparei-me com um e-mail do aluno de 9 anos que fundou o grupo, detalhando pontos sobre a sua organização e seus objetivos. Aqui está um trecho da mensagem:

"Eu notei que a condição na Terra está ficando cada vez mais difícil. Eu quero mudar o mundo com a ajuda das crianças, porque eu quero que elas entendam que elas podem fazer o impossível e torná-lo possível. É por isso que fundei o CPMM (Crianças Podem Mudar o Mundo). Você deve ter menos de 18 anos para ser membro (a não ser que você tenha participado do CPMM quando era criança e agora seja um adulto). Eu quero que você me faça um pequeno favor: diga a todos que você conhece o CPMM. Nossos objetivos são:

- Acabar com a pobreza
- Acabar com as guerras
- Extinguir a poluição
- Salvar animais em extinção
- Promover a educação
- Acabar com as drogas
- Dar liberdade a todos

O *slogan* do CPMM é 'Fazer do mundo um lugar melhor'."

Pensei que eu fosse me reunir com alguns poucos alunos, mas fiquei surpresa quando quase todos os alunos do quarto ano apareceram na minha sala. Esses alunos estavam claramente empenhados no CPMM, e o grupo estava ganhando mais adesões! O CPMM é um exemplo do que pode acontecer quando você acredita que os alunos são competentes e age de modo a apoiar a sua crença na capacidade deles. Esses alunos realmente acreditam que podem fazer do mundo um lugar melhor, e eu também acredito que eles podem! Esse é um exemplo maravilhoso do tipo de liderança e empoderamento que a *New Horizon* alimenta em suas crianças. Como esses alunos poderiam sequer desenvolver a crença de que eles podem mudar o mundo em uma escola sem Disciplina Positiva?

Dina Eletreby, diretora da New Horizon Elementary School, uma escola em Irvine, Califórnia, Estados Unidos, que adotou a Disciplina Positiva

ESTILOS DE LIDERANÇA

A atmosfera na sala de aula é estabelecida a partir do topo. Quando a gentileza do professor envolve recompensa e quando a sua firmeza envolve punição, as crianças podem ficar confusas e com medo dos julgamentos do seu próprio mérito: "Nesse momento, eu sou uma criança boa ou má?" Mas, quando os professores são firmes e gentis ao mesmo tempo, eles ajudam as crianças a se tornarem responsáveis, confiáveis, resilientes, cheias de recursos, empoderadas, capazes, preocupadas com os outros e seguras de si.

Uma criança contou para sua avó que ela recebeu um cartão amarelo na escola. A avó perguntou o que significa o cartão amarelo na escola: "Ah, o cartão significa que eu sou só um pouco má", a menina respondeu. Claro que a avó ficou horrorizada ao pensar que sua netinha preciosa estava decidindo que ela era um pouco má em vez de compreender que ela somente fez uma escolha ruim.

Muitos adultos esperam que as crianças desenvolvam sabedoria e julgamentos sensatos sem praticar, errar, aprender e tentar novamente. Salas de aula que adotam a Disciplina Positiva oferecem aos jovens um amplo tempo de prática. A base no respeito mútuo e no envolvimento do aluno é indispensável. A combinação de gentileza e firmeza é encorajadora, e normalmente ajuda o aluno a vivenciar o senso de aceitação e importância – melhorando, assim, seu comportamento.

Você é gentil e firme ao mesmo tempo? Caso não seja, verifique os três estilos de liderança a seguir e veja se algum deles descreve você. É importante conhecer a si, bem como seu estilo de liderança, para que você decida se quer mudar e o que gostaria de mudar.

Estilos de liderança que podem ser populares, mas que não resultam em crianças empoderadas e socialmente conscientes, são: o Chefe, o Tapete e o Fantasma.

- O Chefe acredita que: "Ou é do meu jeito, ou não é de jeito nenhum. Eu lhe digo como se comportar e o que fazer, e é melhor que você faça o que eu digo, ou estará em apuros."
- O Tapete acredita que: "Estou aqui para fazer você se sentir feliz e confortável. Você me diz o que você quer e precisa, e eu farei acontecer."
- O Fantasma é um líder ausente, que desaparece (emocionalmente, senão fisicamente), torce pelo melhor e sai fazendo outra coisa.

Esses líderes podem usar punições e recompensas como seu método de disciplina. Punição se baseia no fato de que as crianças precisam pagar pelo que fizeram ou falharam em fazer. Em outras palavras: "Para levar uma criança a *agir* melhor, antes precisamos fazê-la se sentir pior". Essa abordagem frequentemente resulta em sentimentos de ressentimento, retaliação, rebeldia e recuo. Recompensas se baseiam no fato de que as crianças irão fazer o que queremos somente quando elas receberem uma recompensa externa. Essa abordagem invalida os bons sentimentos pessoais que são gerados pela contribuição e, geralmente, levam à demanda por recompensas maiores e melhores.

DISCIPLINA POSITIVA PARA A MUDANÇA DE COMPORTAMENTO

Professores que usam a abordagem da Disciplina Positiva buscam por oportunidades para ajudar as crianças a aprenderem com suas experiências. Permitir consequências naturais é, na verdade, uma escolha de como disciplinar. Consequências naturais ocorrem sem nenhuma intervenção por parte do adulto. Se uma criança esquece sua capa de chuva e chove, ela ficará molhada. Se uma criança fura a fila, uma outra criança provavelmente irá dizer: "Não pode furar a fila". Se uma criança esquece seu lanche, outros 15 colegas (perdoem o meu sarcasmo) provavelmente irão dividir o que eles trouxeram, especialmente aquilo que seus pais compraram, mas que eles não gostam. Muitos problemas na sala de aula são resolvidos fácil e rapidamente sem nenhuma interferência dos adultos. Se você se sente desconfortável observando, tente ao menos contar até dez mentalmente e observe o que acontece antes de interferir pensando que é preciso gerenciar toda e qualquer situação.

LÍDERES GENTIS E FIRMES ENSINAM QUE ERROS SÃO OPORTUNIDADES PARA APRENDER

Os professores têm muitas oportunidades para ajudar seus alunos a mudarem crenças equivocadas sobre erros. Muitos dos seus alunos jogam *videogames*, então pode ser útil falar sobre erros usando esse contexto. Quando as crianças erram no *videogame*, elas simplesmente tentam de novo. Pode até ser que leve uma centena de tentativas para solucionar o problema ou passar de fase. O *videogame* não humilha ou envergonha os jogadores, o jogo é configurado para que eles continuem jogando e para promover o aprendizado baseado nos erros anteriores. A vida não é assim tão diferente. Toda e qualquer pessoa neste mundo vai continuar cometendo erros no decorrer de sua vida.

Esconder os erros mantém as pessoas isoladas. Erros que são encobertos não podem ser consertados e as pessoas não podem aprender com eles. O bom julgamento vem da experiência, e a experiência vem do mau julgamento.

Como todos nós cometemos erros, é mais saudável adotar a concepção de que erros são oportunidades de aprendizagem em vez de atestados de fracasso. Quando toda a classe realmente entende que pode aprender ao errar, os alunos, individualmente, não irão se importar com o fato de assumir responsabilidade por sua parte. Eles verão isso como uma oportunidade de receber a ajuda valiosa dos seus colegas. Na verdade, eles aprenderão a ter orgulho de assumir responsabilidade pelo que fizeram, mesmo que seja um erro, porque eles sabem que isso não significa que eles são maus ou que serão punidos. Uma maneira de ensinar que erros são ótimas oportunidades para aprender é convidando cada um da turma a contar um erro que eles cometeram e o que eles aprenderam com isso. Outra maneira é por meio da seguinte atividade:

ATIVIDADE: ERROS SÃO MARAVILHOSAS OPORTUNIDADES PARA APRENDER

OBJETIVOS

- Ajudar os professores a perceberem seus próprios conceitos equivocados sobre erros.
- Ensinar aos alunos conceitos saudáveis sobre erros.

INSTRUÇÕES

1. Relembre sua própria infância e sua vida como aluno (ou peça aos seus alunos para pensarem nas experiências que estão passando agora). Procure se lembrar das mensagens, tanto explícitas como implícitas, que você escutou sobre erros e escreva-as em um papel. Seguem algumas mensagens típicas:
   - Erros são ruins.
   - Você não deve cometer erros.
   - Você é burro, maldoso ou um fracassado se cometer erros.
   - Se você cometer um erro, não deixe ninguém saber. Se alguém descobrir, invente uma desculpa mesmo que não seja verdade.
2. Baseando-se nessas mensagens, quais decisões você tomou a respeito de você mesmo ou sobre o que fazer quando cometer um erro? Algumas decisões típicas:
   - Sou mau quando cometo erros.
   - As pessoas vão pensar menos em mim se eu cometer um erro.
   - Se eu errar, vou tentar não ser pego.
   - É melhor inventar uma desculpa e culpar os outros do que aceitar a responsabilidade pelo meu erro.
   - É melhor eu não me arriscar quando eu sei que não vou fazer direito ou perfeito.
3. Explique que todas essas decisões são "noções malucas" sobre erros. Pergunte aos alunos se eles conhecem alguém que cometeu um erro e quis cavar um buraco para se enfiar dentro. Depois esclareça o quanto as pessoas estão dispostas a perdoar os outros quando eles admitem os seus erros, desculpam-se e tentam resolver o problema que eles mesmos criaram.

LÍDERES GENTIS E FIRMES USAM ENCORAJAMENTO EM VEZ DE ELOGIO E RECOMPENSA

Encorajamento é um tema fundamental de todos os conceitos discutidos neste livro. Encorajamento passa a mensagem para os alunos de que o que eles fazem é diferente de quem eles são e de que eles são valorizados por sua individualidade única sem julgamento.

Pergunte-se o que você diria para um aluno que tirou nota 9 ou 10 no boletim. Você poderia dizer: "Você está indo bem. Você deve estar se sentindo muito bem com isso. Você é muito inteligente". O que você diria para o mesmo aluno se ele tirasse notas 2 ou 3? Ele ainda precisa ouvir comentários de apoio, mas seria muito mais difícil pensar em algo positivo para dizer. Seguem alguns exemplos:

- Como você se sente sobre a nota que tirou?
- O que aconteceu? Você tem ideia de por que suas notas estão tão baixas?
- Você gostaria de ajuda para melhorar suas notas? Eu ficaria feliz em ajudar você na parte de soletrar.
- Olha, qualquer um pode ter um boletim com notas baixas. Nós ainda gostamos muito de você.
- Imagino que você esteja com medo de mostrar o boletim para seus pais.

Aqui está uma atividade sobre encorajamento que você pode usar com seus alunos ou em uma reunião de professores.

ATIVIDADE: ENCORAJAMENTO PARA VIAGEM[1]

OBJETIVOS

- Ajudar os alunos a pensarem em situações nas quais eles poderiam se sentir desencorajados, mesmo depois de aprender novas habilidades.
- Contribuir com os outros.

---

1 A atividade original foi desenvolvida por Elizabeth Dannhorn e Steven Foster e foi revisada para o uso em sala de aula por Lynn Lott e Jane Nelsen.

MATERIAL

Cartões (10 × 15 cm)
Canetas ou lápis
Um saco ou um chapéu para os cartões

INSTRUÇÕES

1. Distribua um cartão para cada aluno.
2. Ofereça aos alunos exemplos de situações que possam mexer com sua autoconfiança:
   - Você tentou algo que não deu certo.
   - Você ficou bravo e não conseguiu segurar seus gritos e sua atitude maldosa.
   - Alguém lhe criticou ou deu risada de você quando você estava tentando fazer alguma coisa.
3. Diga aos alunos que você gostaria que eles escrevessem nos seus cartões palavras de encorajamento que *eles próprios* gostariam de escutar quando sua autoconfiança fica abalada. Se eles não sabem escrever ainda, peça a eles que ditem a alguém que possa escrever por eles ou que desenhem. Dê exemplos como: "Tenho certeza de que você pode pensar em uma solução" ou "Aguente firme, você consegue" ou "Quer uma mãozinha? Eu posso lhe ajudar se você quiser".
4. Conforme eles escrevem, diga ao grupo que cada um deles sairá da aula hoje com uma mensagem de encorajamento escrita por outro aluno.
5. Caminhe pela sala e recolha os cartões, colocando-os no saco ou no chapéu. Faça questão de agradecer cada aluno.
6. Continue com sua aula normalmente.
7. Antes do toque do sinal de saída, peça a cada aluno que pegue um cartão do saco ou do chapéu e leve consigo.

LÍDERES GENTIS E FIRMES CRIAM ROTINAS COM A AJUDA DE SEUS ALUNOS

Rotinas criam um senso de ordem e estabilidade. A vida fica mais fácil para todos quando os acontecimentos do dia têm um ritmo mais suave. A rotina é algo previsível. A rotina, por si só, fica sendo o "chefe", assim nem professores nem alunos ditam o que irá acontecer. É mais empoderador para os alunos escutarem: "Quem pode me dizer o que vem depois no nosso quadro de rotina?" do que escutarem: "Agora vocês vão praticar como soletrar." O primeiro argumento implica que o professor está pedindo que chequem o quadro de rotinas e vejam o que é preciso ser feito, enquanto o segundo sugere que o professor deve estar no controle. Muitos alunos tornam-se rebeldes quando alguém os manda fazer algo, mas ficariam felizes em fazer o que é necessário ser feito quando são respeitosamente envolvidos no processo.

A maioria dos professores monta várias rotinas em suas salas. Sugerimos que você procure por situações que envolvam os alunos na criação da lista de rotinas. Para maximizar o sucesso, use escolhas limitadas. Pergunte aos alunos se preferem fazer matemática ou gramática primeiro, ou se preferem ter aula de artes antes do intervalo ou no final do período na escola.

Preparar rotinas funciona particularmente bem quando for a hora de montar o quadro de ajudantes, decidir que materiais serão distribuídos ou coletados, estabelecer a maneira que os alunos entram e saem da sala, ou quando formam a fila para o intervalo na escola primária, e seguir procedimentos fora da sala de aula (palestras, excursões e treinamentos de incêndio). Você pode criar rotinas que são previsíveis, consistentes e respeitosas seguindo as Cinco Orientações para Estabelecer Rotinas. Faça uso dessas orientações quando estiver trabalhando com os alunos em reuniões de classe.

Cinco Orientações para Estabelecer Rotinas

1. Foque em um assunto por vez. Exemplo: "Primeiro, vamos fazer o quadro de tarefas. Depois de tê-lo usado por uma semana, decidiremos se está funcionando bem. Se não estiver, então vamos buscar uma maneira melhor de recolher e distribuir papéis."
2. Discuta esses assuntos quando todos estiverem calmos em vez de quando estão no meio de um conflito sobre o assunto. Exemplo: se você notar que algum aspecto da rotina não está indo bem, anote e coloque na pauta da reunião de classe. Quando todos estiverem calmos, ou na reunião de classe, peça aos alunos para pensarem em melhorias na rotina. Será muito difícil se você tentar resolver isso no meio de uma situação caótica.
3. Use ferramentas visuais como um quadro ou uma lista. Depois que os alunos chegarem a um acordo sobre a ordem dos eventos, você ou um

aluno pode montar um quadro listando a rotina. Quando chegar a hora de ler, pergunte: "Qual a próxima tarefa da nossa programação?" O quadro fica sendo o chefe em vez do professor.
4. Faça de conta que está na hora de uma determinada atividade e simule o que deve ser feito para que os alunos saibam o que é esperado.
5. Uma vez que a rotina é estabelecida, siga-a consistentemente. Se um aluno questiona ou ignora a rotina estabelecida, pergunte: "Você poderia checar o quadro da rotina e me dizer o que vem depois?" Evite ficar relembrando ou intimidando os alunos. Permita que as crianças cometam erros, e peça que chequem o quadro da rotina para identificarem que evento está acontecendo no momento.

Estabelecer rotinas gera benefícios de segurança em longo prazo, uma atmosfera mais calma e de confiança. Rotinas também permitem que os alunos desenvolvam habilidades de vida. Eles aprendem a ser responsáveis pelo seu próprio comportamento, a se sentirem capazes e a cooperar na sala de aula.

REALIZE REUNIÕES ENTRE PAIS, PROFESSORES E ALUNOS

Nós defendemos a troca de reuniões entre pais e professores pela implementação de reuniões entre pais, professores e alunos. Muitos professores nos disseram que eles já fazem isso. Eles reconhecem a importância de envolver os alunos em qualquer processo que os afeta diretamente. Visto que o propósito das reuniões entre pais e professores é o de encorajar os alunos, você não acha que faz sentido que eles estejam presentes? Não ensinamos que "não é educado falar de pessoas pelas costas"?

Para assegurar que a reunião entre pais, professores e alunos seja um processo encorajador, prepare-a com antecedência. Crie um Formulário de Encorajamento usando as seguintes perguntas:

1. O que está indo bem?
2. O que é necessário para encorajar e apoiar o que está indo bem?
3. Em que áreas seria benéfico melhorar?
4. O que é necessário para apoiar as melhorias?

Coloque o nome do aluno, o nome do professor e os nomes dos pais no cabeçalho do formulário. Dê uma cópia do Formulário de Encorajamento para o aluno e outra para um dos pais e reserve uma para você. Peça para que cada pessoa complete o formulário antes da reunião entre pais, professores e alunos. Para as crianças que não conseguem escrever sozinhas, peça que ditem para você ou para um professor assistente.

Quando o dia da reunião chegar, leia cada item da lista. Primeiramente, pergunte ao aluno o que está indo bem. Então cada pessoa presente pode adicionar seu comentário do que está indo bem. Elaborem juntos o que é necessário encorajar e apoiar para que o sucesso continue.

Depois, permita que o aluno comece a falar sobre os aspectos de melhoria. Os alunos sabem em quais aspectos eles precisam melhorar, e permitir que eles sejam os primeiros a falar aumenta a chance de assumirem a responsabilidade, em vez de ficarem na defensiva quando os adultos falam primeiro. Entretanto, é importante que todos os presentes na reunião compartilhem suas percepções. Novamente, todos podem elaborar juntos maneiras de encorajar e auxiliar o progresso. Deixe que o aluno escolha quais sugestões seriam mais benéficas para ele. Quando aluno e adultos discordam sobre a necessidade de melhoria, permita que cada um tenha a chance de falar as suas razões enquanto os outros escutam. É possível que pais e professores tenham objetivos diferentes do aluno. Até que esses objetivos sejam comuns, o aluno irá boicotar qualquer esforço de melhoria.

Os adultos podem se beneficiar do ponto de vista expresso no livro *Soar with Your Strengths*. O livro começa com uma agradável parábola sobre um pato, um peixe, uma águia, uma coruja, um esquilo e um coelho que vão para a mesma escola com o currículo que incorpora: correr, nadar, escalar árvores, pular e voar. Todos os animais têm pontos fortes em pelo menos uma dessas áreas, mas estão destinados a falhar em outras. Vejo similaridades neste livro sobre a punição e o desencorajamento que esses animais encontram quando pais e profissionais da escola insistem que eles devem se sair bem em todas as áreas, para que eles possam se formar, tornando-se animais bem ajustados. O principal ponto do livro é que "a excelência só pode ser alcançada se focarmos nos pontos fortes e gerenciarmos os pontos fracos, e não por meio da eliminação das fraquezas".[2]

---

2 Donald O. Clifton e Paula Nelson, *Soar with Your Strengths* (New York: Dell, 1992). Veja também Jane Nelsen, Roslyn Duffy, Linda Escobar, Kate Ortolano, e Debbie Owen-Sohocki, *Positive Discipline: A Teacher's A-Z Guide* (Rocklin, California: Prima, 1996), p. 61.

Ensine os alunos a gerenciarem suas fraquezas e voarem alto com seus pontos fortes. Pais, professores e alunos podem trabalhar juntos para ajudar uns aos outros a decolarem. As pessoas fazem isso quando se sentem encorajadas.

QUE ANIMAL VOCÊ É?[3] CONSCIENTIZAÇÃO É A CHAVE PARA UMA LIDERANÇA GENTIL E FIRME

Aqui está uma outra maneira de pensar sobre que tipo de líder você é e como a sua personalidade influencia seu trabalho na sala de aula. Você é um camaleão, uma tartaruga ou uma águia? Para descobrir a resposta, responda à seguinte pergunta:

"Com o que você mais evita lidar na vida: dor e estresse, rejeição e conflitos, insignificância e irrelevância, ou crítica e humilhação?"

Ajuda muito ler essas palavras em voz alta, observando se você tem alguma reação desconfortável ao ouvir um par de palavras ou outro.

DOR E ESTRESSE – Se você escolheu dor e estresse, você é um professor tartaruga. Como um líder, você pode ser criativo, diplomático, fácil de lidar e permissivo a ponto de mimar os alunos. Quando você está estressado, você tem aquela casca adorável para se enrolar dentro. Ou, quando as situações saem do trilho, você pode se tornar uma tartaruga que abocanha, afastando os outros para que se sinta segura. Quer um desafio de liderança? Nós temos três para você: elabore rotinas, comunique-se com os outros e permita que as crianças sofram as consequências das suas escolhas.

REJEIÇÃO E CONFLITOS – Se você escolheu rejeição e conflitos, você é um professor camaleão. Seu estilo de liderança é estar em sintonia com os outros. Você é amigável e generoso, mas facilmente se magoa. Algumas vezes você se permite ser um capacho ou leva tudo para o lado pessoal. Você adora ser amado pelos seus alunos, então deve ser cuidadoso para não deixar que as situações fiquem descontroladas ou fazer algo para ter a aprovação deles em vez de fazer algo para manter a ordem. Quando você está estressado, você precisa focar em estabelecer limites, resolver problemas em conjunto e desaba-

---

3 Baseado em uma atividade chamada Top Card ("carta no topo") no manual *Teaching Parenting the Positive Discipline Way Manual*, de Lynn Lott e Jane Nelsen, pp. 251-256.

far sobre como você *realmente* se sente, em vez de ceder demasiadamente. Tome cuidado com fofocas ou ao dizer sim quando você queria dizer não.

INSIGNIFICÂNCIA E IRRELEVÂNCIA – Se você escolheu insignificância e irrelevância, você é um professor leão. Você é um aprendiz bem informado, toma iniciativas e é idealista. Infelizmente, você pode se desgastar ou subestimar as habilidades dos outros. Você demanda dos outros tanto quanto de você mesmo, pensando que as coisas sempre podem ser melhores. Na sala de aula, sugerimos que você foque em abandonar a ideia de que você sempre precisa estar certo e se concentre em confiar nos outros e ter paciência. Com a boa intenção de dar ótimos conselhos para os outros, você pode parecer arrogante ou crítico, o que não é o seu intuito. Nós conhecemos alguns professores leões que rugem bem alto ou atacam alguém quando eles se sentem ameaçados. Você não é assim, não é mesmo?

CRÍTICA E HUMILHAÇÃO – Finalmente, se você escolheu crítica e humilhação, você é uma águia. Isso lhe faz um planejador avançado que gosta de estar no controle. Você pode ser muito organizado ou muito disperso, procrastinando ao máximo. É difícil para você delegar. Você gosta de ser o prestativo que cuida das coisas. Quando você está estressado, você tem a tendência de se recuar no seu ninho, o que pode assustar seus alunos, pois eles se sentem abandonados. Quando você se sente criticado, você pode se transformar de um professor agradável e previsível para uma ave de rapina em ataque com gritos penetrantes. Quer trabalhar no seu estilo de liderança? Que tal desabafar sobre como se sente, delegar mais e dar opções para os outros?

Se você achou essa parte de liderança útil e interessante e quer aprender mais, você pode encontrar um quadro interativo com mais informações no *site* da Lynn Lott: www.lynnlott.com.

AS CONTÍNUAS MUDANÇAS

Muitos professores estão acostumados a direcionar seus alunos, e muitos alunos estão acostumados a serem direcionados pelos seus professores. Hábitos ineficientes são mais fáceis de romper quando são repostos por outros mais empoderadores. Espere certa relutância ao iniciar o processo de ajudar os alunos a desenvolverem a capacidade de resolver seus próprios problemas. Alunos que nunca tiveram que assumir responsabilidade (porque os professores a assumiram por eles por meio de punição e recompensa) podem não ficar muito felizes com a ideia no começo. Uma vez que vivenciarem dignidade, respeito e autossatisfação por serem colaboradores capazes no seu ambiente, certamente darão um passo à frente.

Entenda que os alunos encontrarão dificuldade para modificar o comportamento até que os professores modifiquem os deles. Para ajudar os alunos a aprenderem autocontrole, autodisciplina, responsabilidade e resolução de problemas, não hesite em tomar a iniciativa.

Líderes gentis e firmes são realistas em relação às mudanças. A mudança é um processo que envolve conscientização e desenvolvimento de habilidades, prática e tempo. Pense sobre aprender a andar de bicicleta. A maioria de vocês não montou em duas rodas e saiu andando pela rua na sua primeira tentativa. No começo, você provavelmente era inconscientemente sem habilidade, pensando: "Eu posso fazer isso." Uma vez que você subiu na bicicleta, você se tornou conscientemente sem habilidade, pensando: "Eu nunca vou aprender a usar essa coisa." Com a ajuda de rodinhas ou alguém correndo ao seu lado, você começou a ter uma noção do que é pedalar, enquanto gritava: "Não me solta! Não me solta!" Conforme você continuou praticando com a ajuda das rodinhas ou dos adultos, você se tornou mais habilidoso e eventualmente se tornou conscientemente habilidoso, pensando: "Estou pedalando, estou pedalando." Em um certo momento, as rodinhas foram removidas ou a pessoa ao seu lado lhe soltou, e você percebeu que estava pedalando sozinho, mesmo que tenha sido meio sem equilíbrio ou que você tenha caído algumas vezes. Uma vez que você dominou o processo, você se tornou inconscientemente habilidoso, andando de bicicleta facilmente. Mesmo que você fique sem andar de bicicleta por alguns anos, você diz a si mesmo: "Andar de bicicleta é algo que nunca se esquece."

O que isso tudo tem a ver com liderança gentil e firme? Acreditamos que adotar a Disciplina Positiva será da mesma maneira. Como professor, no começo você pode pensar: "Isso é fácil. Eu consigo fazer." Essa é a parte inconscientemente sem habilidade.

Uma vez que você tenta descobrir por onde começar, tudo pode parecer difícil e complicado. Não desista – essa é somente a parte conscientemente sem habilidade. Com algumas "rodinhas" e prática, você se sentirá mais confiante para tentar usar novas ferramentas, mesmo que esteja pensando sobre tudo o que está fazendo e até caia de cara no chão algumas vezes. Agora você é conscientemente habilidoso. Um dia você olhará para trás, para quando optou por adotar a Disciplina Positiva, e se perguntará se houve alguma vez que você não liderou usando a Disciplina Positiva. Agora você é inconscientemente habilidoso.

O mesmo acontece com os alunos. Mudar é um desafio e demanda tempo e encorajamento. A maioria das crianças vem de lares nos quais o estilo de liderança é vertical, e os pais são os chefes que distribuem punição para comportamentos que eles não aprovam. Ou eles gerenciam a vida de seus filhos em detalhes e incessantemente. Essas crianças não estão acostumadas a pensarem por elas mesmas ou a assumirem responsabilidade pelo seu comportamento. Quando o professor assume a liderança de modo gentil e firme, eles podem fazer essa transição, mas isso não acontecerá da noite para o dia. Mesmo assim, os resultados valerão os esforços. Se você oferecer um bom treinamento no começo do ano escolar e tiver paciência e acreditar que as crianças podem se tornar inconscientemente habilidosas, o resto do ano será muito mais fácil para todos.

FAÇA USO DO PASSO A PASSO DA RESOLUÇÃO DE PROBLEMAS NO QUAL PROFESSORES SE AJUDAM

Você já notou como é fácil resolver o problema dos outros? A razão é óbvia. Podemos contribuir com objetividade e perspectiva para a resolução de problemas dos outros quando não estamos envolvidos emocionalmente.

Porém, alunos desafiadores normalmente testam a paciência, levando o professor a reagir em vez de agir. Esses alunos precisam de compreensão e encorajamento mais do que a média dos alunos precisa – assim como o professor, para enfrentar o desafio.

Quando você se depara com um problema de comportamento, sua escola pode ter um procedimento de conduta, e é esperado que você procure pela diretoria ou pelo orientador educacional para lidar com a situação. Sugerimos que, antes de fazê-lo, você tente seguir o passo a passo da resolução de problemas no qual professores se ajudam, na página seguinte. Isso pode resultar em uma mudança encorajadora que influenciará os alunos de maneira positiva. Muitos professores acham que seguir estes 14 passos lhes dá ideias para encorajar os alunos e modificar o comportamento deles. Ambos, professores e alunos, sentem-se fortalecidos pelo processo, e os encaminhamentos para a diretoria diminuem significativamente.

O passo a passo da resolução de problemas no qual professores se ajudam pode ser utilizado por um grupo de professores que vão alternando a vez para ser o facilitador, o voluntário que apresenta um problema e o participante que se voluntaria para simular e elaborar soluções. Porém, talvez você queira usar o passo a passo com um ou dois colegas (sendo que um deles apresenta o problema). Se você trabalha em uma escola que usa o passo a passo da resolução de problemas no qual professores se ajudam com todo o corpo de professores, você pode praticar com um ou dois colegas antes de realizar esse processo com um grupo maior.

Esse procedimento resultará em um plano de ação que convidará a criança a se comportar e se sentir melhor. Isso não significa que o voluntário que está apresentando o desafio seja o próprio problema, mas considera uma noção poderosa de que se o professor alterar um pouco o seu próprio comportamento, a criança mudará bastante o seu próprio comportamento.

O truque está em *seguir fielmente os passos e confiar no processo*. Como facilitador, você irá ler os passos (apresentados nas páginas seguintes) em voz alta, dando uma pausa para dar a chance ao voluntário de responder brevemente cada questão. Certifique-se de que você tem às mãos uma cópia do Quadro dos Objetivos Equivocados, da página 50. (Você verá que ele será necessário nos passos 5 e 6.) Você não precisa escrever nada além das informações pedidas nos passos 2 e 3 e das soluções elaboradas pelo grupo no passo 10.

Tenha uma cópia desses passos no seu colo e cubra-a com uma folha de papel em branco. Use a folha em branco para descobrir um passo de cada vez e leia-o em voz alta para que o voluntário possa responder. Não há necessidade nenhuma de memorizar os passos. Ler os passos ajudará você a se manter na sequência. Não analise ou adicione informação que não esteja listada. Isso mesmo: *nada de análise!*

Passo a passo da resolução de problemas no qual professores se ajudam

1. Agradeça o voluntário por participar como assistente nesse processo, pois todos irão aprender com o que será compartilhado.
2. Escreva as seguintes informações no cavalete (ou em uma folha de papel enquanto estiver praticando). Qual ano você ensina? Invente um nome fictício para o(s) aluno(s) com quem tenha dificuldade (confidencialidade). Quantos anos o(s) aluno(s) tem?

3. Peça que o voluntário pense em uma palavra ou elabore uma manchete de jornal do problema.
4. Descreva a última vez que o problema ocorreu. Use detalhes suficientes, incluindo diálogos (como se fosse um filme) para que você e os participantes possam simular a situação a seguir. Se o voluntário precisar de ajuda para descrever a situação, você pode perguntar: "O que você fez?", "O que o aluno fez?", "Daí o que aconteceu?" e "O que aconteceu depois?".
5. "Como você se sentiu?". Se o voluntário tiver dificuldade para expressar um sentimento em apenas uma palavra, consulte a coluna 2 do Quadro dos Objetivos Equivocados (p. 50) para que ele possa escolher o grupo de palavras que melhor represente seu sentimento.
6. Com base no sentimento expresso, use o Quadro dos Objetivos Equivocados para levantar uma hipótese de qual seria o objetivo equivocado do aluno. (Não é importante acertar qual é o objetivo. Novas informações podem surgir durante a encenação. Levantar uma hipótese lhe ajuda a começar a trabalhar.)
7. "Você estaria disposto a tentar algo novo que seria mais efetivo?"
8. Da melhor forma que puder, visto que pode haver só duas pessoas para simular, prepare a cena e participe de acordo com a descrição da situação. Lembre-se de que a cena pode ser breve e nos dar todas as informações necessárias. Se houver outras pessoas ajudando, elas também podem encenar. Normalmente, é mais benéfico que a pessoa que apresenta o problema encene o papel do aluno – isso permite que ela "mergulhe no mundo da criança".
9. Quando a cena acabar, cada um dos participantes compartilha o que estava pensando, sentindo e decidindo no papel que estava representando.
10. Juntos, elaborem possíveis soluções que o voluntário poderia tentar. Escreva as sugestões (quando essa atividade é realizada em grupos maiores, o voluntário tem a chance de se sentar no "cone do silêncio" enquanto escuta as sugestões).
11. Peça ao voluntário que escolha uma das sugestões que ele estaria disposto a tentar por uma semana.
12. Encenem novamente, só que agora com o novo cenário da solução escolhida. Pergunte ao voluntário se ele gostaria de praticar a solução escolhida antes da encenação ou se ele gostaria de simular o papel da criança para vivenciar a perspectiva dela. Reflita novamente com cada participante, assim como foi feito no passo 9, com pensamentos, sentimentos e decisões.

13. "Você se comprometeria em tentar essa sugestão por uma semana e compartilhar o resultado conosco ao fim da semana?"
14. Peça ao grupo que reconheça ou agradeça o trabalho realizado, o que pode incluir o que você (como participante) aprendeu com o processo.

Problemas típicos de quando o passo a passo da resolução de problemas é utilizado

1. Os passos não são seguidos.
2. Você fica preso na narrativa da situação. É importante focar na última vez que o problema ocorreu. Informações adicionais não são necessárias nesse processo.
3. Você analisa, questiona e avalia a informação.
4. Não são sugeridas ferramentas aprendidas no livro ou descritas na última coluna do Quadro dos Objetivos Equivocados.
5. Algum passo é pulado, por exemplo, a encenação ou os agradecimentos. Cada passo é importante, mesmo que sejam somente dois colegas seguindo o procedimento.

O passo a passo da resolução de problemas no qual professores se ajudam serve como apresentação, avaliação, ferramenta de diagnóstico, plano de tratamento, plano de ação e processo de encorajamento, tudo simultaneamente. Os passos são efetivos porque eles permitem que professores tenham ideias práticas e habilidades eficazes para uma mudança positiva. Não é somente divertido e tranquilizador seguir cada passo com outro professor, como também é um processo que elimina a análise que enfatiza causa, culpa e desculpas, em vez de ação prestativa.

Até mesmo professores que estavam relutantes em tentar o passo a passo da resolução de problemas no qual professores se ajudam se surpreenderam com o nível de encorajamento e ajuda que receberam durante o processo. Eles ficaram surpresos ao ampliarem sua compreensão durante a encenação no papel do aluno (ou de outros), ao estar na pele do outro. Eles gostaram de receber encorajamento dos seus colegas e adquiriram muitas ideias para encorajar seus alunos (e, claro, esses passos funcionam com qualquer relacionamento, seja em casa, no trabalho ou na escola).

Uma professora de sétimo ano praticou esses passos com um colega durante a hora do almoço. No começo, ela hesitou em fazê-lo, pensando que eram muitos passos. Assim como muitos professores, ela pensou que isso daria mais trabalho, em vez de menos. Veja o que aconteceu:

> O que nós gostamos foi que logo depois que explicamos a situação do que estava acontecendo, nós tivemos a chance de expressar como aquilo nos fez sentir. Depois que completamos os 14 passos, conversamos sobre como isso era bem diferente do que estávamos acostumados a fazer – por exemplo, reclamar. De toda forma, o que realmente gostamos foi de expressar o que estávamos sentindo, o que fez todo o processo valer a pena, e alterou a severidade da interação com o aluno, ao percebermos como nós afetamos a situação. Agora queremos que a escola toda faça uso desse processo! Obrigada.

OUTRAS SUGESTÕES PARA SE MANTER ENCORAJADO

Conforme você adota a mudança para uma liderança mais gentil e firme, você precisa encontrar maneiras de se manter encorajado, especialmente se você for o único professor usando essa abordagem em sua escola. O ideal seria que você pudesse participar ou criar um grupo com outros professores que pensam de forma similar para se encontrarem regularmente em um grupo de mentores. Se você não conseguir, poderá se comunicar com outros educadores em Disciplina Positiva no *site* (em inglês) www.positivediscipline.ning.com, uma comunidade amigável na qual pais e professores dão apoio e encorajam uns aos outros a usarem a Disciplina Positiva.

Se você ainda não fez o *workshop* de dois dias em Disciplina Positiva, você pode encontrar o calendário dos próximos eventos no *site* www.positivediscipline.com e www.positivediscipline.org. A Positive Discipline Association oferece um cuidadoso treinamento no passo a passo da resolução de problemas no qual professores se ajudam nesse *workshop* de dois dias chamado *Disciplina Positiva em sala de aula*. Você também pode convidar um educador certificado em Disciplina Positiva para oferecer um *workshop* em sua escola.

Quando nós estávamos aprendendo sobre Disciplina Positiva, uma maneira que encontramos de nos manter encorajadas foi ensinando aos outros o que queríamos aprender. A cada treinamento para pais e professores, nós continuamos nos desenvolvendo no caminho da mudança. Sugerimos que você ensine o que quer aprender usando os inúmeros livros e manuais disponíveis.

Se você for do tipo de pessoa que quer receber treinamento antes de ensinar os outros, a Positive Discipline Association oferece muitos programas para você obter um certificado como Treinador em Disciplina Positiva.

DISCIPLINA POSITIVA EM AÇÃO

Na posse como diretora da escola primária Roosevelt, descobri que o método de disciplina era focado em recompensas externas e punição[4] – cartõezinhos eram distribuídos como incentivos de bom comportamento (ou seja, a criança criava a expectativa de receber um cartãozinho se ela tivesse feito algo bom). Esses cartões eram colocados em um pote, e dez prêmios eram dados para dez cartões sorteados desse pote semanalmente. No último dia de aula, acontecia uma cerimônia de premiação para sortear 20 cartões que estavam em um caixote de lixo. Já as punições eram: ser retirado da sala de aula, ser suspenso e passar tempo "no centro". Havia uma assistente educacional cuidando do centro. Ela ajudava os alunos retirados da sala de aula a fazer a tarefa da aula e escrever cartas de desculpas ou reescrever as regras que foram quebradas e o que deveriam ter feito. Havia regras para praticamente todas as situações.

Durante o primeiro mês de aula, visitei o centro durante o intervalo e encontrei 18 alunos apertados em uma salinha que idealmente não comportaria mais de dez. Quando perguntei a eles o porquê de estarem lá, poucos deles sabiam responder o que tinham feito e por quanto tempo estariam retidos. Esse foi o dia em que me dei conta de que o programa de intervenção estudantil da Roosevelt deveria mudar. Eu também sabia que não seria fácil, pois o centro era a única coisa que os professores me pediram para manter quando fui nomeada diretora da escola um mês antes.

Precisei de um ano sob o antiquado método de disciplina para criar um clima que reconhecesse a necessidade de mudança. Em um dia e meio, realizamos o treinamento para aprender como implementar a Disciplina Positiva. Eu gostaria de poder dizer que durante todo o treinamento os

---

[4] O nome dessa escola com 500 alunos foi alterado, e a diretora solicitou que seu nome fosse mantido anônimo. Trinta por cento dos alunos são qualificados a receber almoço de graça ou com preço reduzido.

professores estavam motivados a mudar e que houve uma transformação imediata, mas isso não é verdade. Ao olhar as expressões faciais dos professores, percebi que alguns não estavam totalmente presentes. Porém, as dinâmicas de grupo ajudaram alguns professores a passar de desinteressados para interessados em tentar. O grupo de professores mais céticos, que não via a necessidade da mudança, não mudou de opinião no primeiro ano.

Entretanto, eu pude observar que os céticos gradualmente adotaram a pausa positiva ou "Havaí", a Mesa da Paz ou a Roda de Escolha (veja o Cap. 7) em razão de sua eficácia. Atualmente, reuniões de classe são a norma na escola Roosevelt. Apesar de novamente ter um time de resistência, a maioria dos professores faz reuniões de classe e se maravilha com a melhoria no clima da sala. Como diretora da escola, todos os dias presencio situações que demonstram que a Disciplina Positiva está fazendo uma grande diferença na habilidade das crianças de comunicarem seus sentimentos, usar estratégias para resolver problemas interpessoais e ter mais empatia com o problema dos outros. Também creio que esse pensamento estratégico esteja ajudando-os na área acadêmica.

Hoje, eu presenciei várias cenas que me mostraram o poder da Disciplina Positiva. Eu estava no refeitório e uma aluna veio até mim e disse: "Eu falei com o George três vezes usando frases que começam com 'eu' e, mesmo assim, ele não parou de me aborrecer." No ano passado, essa menina (vou chamá-la de Maria) teria reagido com um empurrão, fazendo seu colega cair da cadeira. É interessante notar que o problema para ela e a ofensa não se originaram das ações irritantes do seu colega, mas sim pelo fato de que ele não a estava escutando mesmo depois de ela ter dito três frases começando com "eu". Quando conversei com o aluno que a estava aborrecendo, o seu argumento de defesa foi de que ela só usou uma única frase começando com "eu" e que ele certamente teria parado se ela tivesse dito três. Logo em seguida, ele disse que iria parar de aborrecê-la e que ele "realmente não escutou da primeira vez". Dois anos antes, ambas as crianças do terceiro ano teriam intensificado a briga de forma verbal ou física.

Outra mudança aconteceu com os pais. Nossos orientadores educacionais se encontram com os pais individualmente, com o intuito de ajudá-los a resolver problemas de comunicação com seus filhos. Na última reunião de pais, foram apresentados alguns conceitos de Disciplina Positiva, o que incluiu o Quadro dos Objetivos Equivocados. Essa reunião foi a mais frequentada que tivemos no ano, tendo até a participação de casais. Passado algum tempo depois da reunião, um dos pais disse que a Disciplina Positiva era de extrema importância para seus filhos e um dos melhores aspectos da escola Roosevelt.

    Culturas não manifestam mudanças completas de um dia para o outro, ou até mesmo em dois anos, mas na escola Roosevelt o processo pelo menos teve início. Agora a comunidade de alunos, professores e pais procura agir de forma respeitosa em prol de um ambiente acadêmico mais efetivo. Agora temos o conhecimento e as habilidades para interagir entre nós de forma a dar suporte uns aos outros, criando assim uma situação na qual todos saem ganhando. Antes da Disciplina Positiva na escola Roosevelt, respeito era só uma palavra; agora é uma ação.

4
POR QUE AS PESSOAS FAZEM O QUE FAZEM

Significados não são determinados pelas situações, mas nós nos determinamos pelos significados que damos às situações.

Alfred Adler

Desencorajamento é a raiz de todo mau comportamento.

Rudolf Dreikurs

Um aluno com mau comportamento é um aluno desencorajado. Quando os alunos acreditam que eles não são aceitos, eles geralmente escolhem um dos Quatro Objetivos Equivocados de Comportamento:

1. Atenção indevida
2. Poder mal dirigido
3. Vingança
4. Inadequação assumida

Quando você se depara com mau comportamento em sala de aula, é natural que você lide com a ponta do *iceberg* (o comportamento) antes de saber sobre os objetivos equivocados (a parte submersa do *iceberg*). Olívia está acenando, pulando para cima e para baixo, chamando: "Professora, professora!" Qual é a sua inclinação natural? Você lhe dá atenção, dizendo seu nome, corrigindo-a, e talvez até mesmo dê uma lição de moral dizendo: "Olívia, quantas vezes eu lhe disse para esperar a sua vez? Eu já lhe disse mil vezes. Abaixe sua mão e espere o colega acabar de falar". Você pode dizer isso mais de uma centena de vezes, mas Olívia continuará seu comportamento irritante. Por quê? Porque ela acha que só é importante quando recebe atenção constante.

Depois tem o Neto, que empurra e fura a fila para ser o primeiro. Quando ele está no parquinho, ele leva a bola para longe dos outros alunos para que ele possa ficar com ela. Ele desafia o professor constantemente em sala de aula, sendo "do contra" e teimoso. Mais uma vez, qual seria a sua reação natural a esse comportamento representado pela ponta do *iceberg*? A maioria dos professores (e pais também) iria entrar na briga, para mostrar ao Neto que ele não pode ser mandão. Neto acredita, em algum nível inconsciente, que ele tem de ganhar e estar no controle para ser aceito, então ele vai lutar até o fim contra as tentativas dos adultos de controlá-lo.

Pedro vai para a escola com roupas sujas e se mete em brigas com os colegas. As crianças não gostam dele ou de se sentar junto dele porque ele é malvado. Ele é conhecido por roubar o material escolar das outras crianças e depois mentir, dizendo que ele não tem a menor ideia de quem pegou o lápis novo do Ryan. É fácil reagir ao comportamento de Pedro com um desgosto mal disfarçado e dar um sermão sobre obediência dizendo a ele quão inaceitável é o seu comportamento. Mas o comportamento de Pedro é apenas a ponta do *iceberg*. Por baixo, ele se sente magoado, não se sente amado ou querido, não se sente bom o suficiente e acredita que tem de se vingar machucando qualquer um que cruze seu caminho.

Finalmente, tem a pequena Lili, que desiste antes de começar qualquer coisa. Não importa o quanto você tente persuadi-la, ela não vai tentar. Ela faz o melhor que pode para se tornar invisível até que você pare de pedir coisas para ela. Ela provavelmente vai acabar sendo rotulada com alguma dificuldade de aprendizagem, mas isso é simplesmente lidar com a ponta do *iceberg*. Por baixo, ela está convencida de que não importa o que ela faça, não será bom o suficiente, então por que ela deveria se preocupar em tentar? Ela vai se esforçar para ser deixada de lado e convencer os colegas e professores a não esperar nada dela.

O Quadro dos Objetivos Equivocados o ajudará a entender a parte submersa do *iceberg* – as crenças desencorajadoras que alimentam um comportamento.

Os objetivos equivocados foram identificados por Rudolf Dreikurs. Quando lhe foi perguntado uma vez: "Como você pode colocar as crianças nessa tabela?", ele respondeu: "Eu não as coloco lá, eu as encontro lá." O Quadro dos Objetivos Equivocados o ajudará a identificar os objetivos equivocados dos seus alunos e sugerirá ideias encorajadoras para ajudar a mudar as crenças. Muitos professores mantêm uma cópia desse quadro em suas mesas para uma referência rápida quando confrontados com um comportamento desafiador.

Veja como usar o Quadro dos Objetivos Equivocados. Pense na Olívia, no Neto, no Pedro e na Lili. Você tem alunos na sua turma que agem como eles? Observe a segunda coluna: quais dos sentimentos listados são mais próximos do que seriam os seus? A sua primeira dica para descobrir o objetivo equivocado da criança é o seu sentimento. Observe a terceira coluna: o que você costuma fazer em resposta ao comportamento da criança? O aluno reage como descrito na quarta coluna? Essa é a sua segunda dica para descobrir o objetivo equivocado da criança. Essas quatro primeiras colunas mostram o que está acontecendo na ponta do *iceberg*.

A quinta coluna explica a parte submersa do *iceberg*, a parte que você não pode ver. É a compreensão equivocada da criança de como ser aceita e se sentir importante. A sexta coluna mostra que, quando as crianças estão se "comportando mal", elas estão falando em código. Os adultos podem ser mais eficazes quando eles aprendem a decifrar o código em vez de coagir a criança. A sexta coluna ajuda os professores a decifrarem o código ao entender o que uma criança está realmente dizendo com a mensagem codificada. A última coluna apresenta intervenções encorajadoras e empoderadoras que os professores podem fazer.

MESMOS COMPORTAMENTOS, OBJETIVOS DIFERENTES

Alguns comportamentos podem se encaixar em todos os objetivos equivocados. Não fazer a lição de casa é um bom exemplo. Se o fato de uma criança se recusar a fazer a lição de casa fizer você se sentir irritado ou preocupado, o objetivo equivocado da criança é atenção indevida. Quando esse comportamento fizer você se sentir desafiado ou derrotado, o objetivo equivocado da criança é poder mal dirigido. Quando esse comportamento fizer você se sentir magoado ou desapontado, o objetivo equivocado da criança é vingança. E quando esse comportamento fizer você se sentir sem esperança, o objetivo equivocado da criança é inadequação assumida.

A "SELVA" DE *ICEBERG*

A "selva" de *iceberg* é uma atividade que fazemos em *workshops*. Ela ajuda os professores a compreenderem o Quadro dos Objetivos Equivocados, a identificar os efeitos da punição em longo prazo e a aprender como substituir frases desencorajadoras por frases encorajadoras e empoderadoras. Muitos professores com quem trabalhamos preferem ser encorajadores, mas nem sempre sabem quais

QUADRO DOS OBJETIVOS EQUIVOCADOS

O objetivo da criança é:	Se o pai ou mãe/professor se sente:	E tende a reagir:	E se a resposta da criança é:
Atenção indevida (para manter os outros ocupados ou conseguir tratamento especial)	Aborrecido Irritado Preocupado Culpado	Lembrando Adulando Fazendo coisas pela criança que ela mesma poderia fazer	Para um pouco, mas depois retoma o mesmo comportamento ou outro comportamento irritante
Poder mal dirigido (para estar no comando)	Desafiado Ameaçado Derrotado	Brigando Cedendo Pensando "Você não vai conseguir escapar dessa" ou "Vou te obrigar" Querendo estar certo	Intensifica o comportamento Apresenta transigência desafiadora Acha que venceu quando pais/professores são contrariados mesmo quando tem que obedecer Poder passivo (diz "sim", mas acaba não obedecendo)
Vingança (para se vingar)	Magoado Decepcionado Descrente Ressentido	Retaliando Envergonhando Pensando "Como você pode fazer uma coisa dessas?"	Faz retaliação Intensifica/agrava o mesmo comportamento ou escolhe outra estratégia
Inadequação assumida (para desistir e não ser incomodada)	Desesperado Incapaz Impotente Inadequado	Desistindo Fazendo coisas pela criança que ela pode fazer por si mesma Ajudando além do necessário	Recua Torna-se passiva Sem melhora Sem resposta

A crença por trás do comportamento da criança é:	Mensagens codificadas:	Respostas proativas e estimuladoras dos pais/professores incluem:
Eu importo (sou aceito) só quando estou sendo percebido ou recebendo tratamento especial. Só sou importante quando mantenho você ocupado comigo.	Dê-me atenção. Envolva-me em algo útil.	Redirecione, envolvendo a criança em uma tarefa útil. Diga o que fará. (Exemplo: "Eu amo você e vou ficar com você mais tarde."). Evite dar atenção especial. Tenha fé que a criança é capaz de lidar com seus próprios sentimentos (não conserte ou resgate-a). Planeje um tempo especial. Ajude a criança a estabelecer um quadro de rotina. Convide-a a participar da resolução de problemas. Promova reuniões de família/classe. Combine sinais não verbais. Ignore o comportamento colocando a mão no ombro da criança.
Só sou aceito quando sou o chefe, estou no controle ou provando que ninguém manda em mim. "Você não pode me obrigar."	Deixe-me ajudar. Dê-me escolhas.	Redirecione o poder para que ele se torne positivo, pedindo a ajuda da criança. Ofereça escolhas limitadas. Não lute e não desista. Fuja do conflito. Seja firme e gentil. Aja, não fale. Resolva o que vai fazer. Deixe que as rotinas sejam o chefe. Afaste-se e acalme-se. Desenvolva respeito mútuo. Estabeleça alguns limites razoáveis. Pratique o acompanhamento de modo firme e gentil. Promova reuniões de família/classe.
Eu não acho que sou aceito, por isso vou magoar os outros assim como me sinto magoado. Ninguém gosta de mim nem me ama.	Eu estou magoado. Valide meus sentimentos.	Lide com os sentimentos feridos. Evite se magoar. Evite punição e retaliação. Desenvolva confiança. Pratique a escuta ativa. Compartilhe seus sentimentos. Faça as pazes. Demonstre que se importa. Estimule os pontos fortes. Não tome partido. Promova reuniões de família/classe.
Não acredito que posso ser aceito porque não sou perfeito, por isso vou convencer os outros a não esperar nada de mim. Sou incapaz e impotente; não adianta tentar porque não vou fazer a coisa certa.	Não desista de mim. Mostre-me um pequeno passo.	Divida a tarefa em passos pequenos. Não faça críticas. Incentive tentativas positivas, por menores que sejam. Tenha fé nas habilidades da criança. Concentre-se nos pontos positivos. Não tenha pena. Não desista. Promova oportunidades de sucesso. Ensine habilidades – mostre como, mas não faça por ela. Aproveite o tempo ao lado da criança. Baseie-se nos interesses dela. Promova reuniões de família/classe.

palavras encorajam. Para ajudá-los, criamos uma lista de frases de encorajamento que podem ser usadas para cada um dos objetivos equivocados, assim como uma lista de frases que funcionará para qualquer um dos objetivos equivocados.

Nós o encorajamos a reunir um grupo de professores e, juntos, fazerem a seguinte atividade para total compreensão. Descobrimos que os professores aprendem muito mais e se apropriam desse conhecimento por muito mais tempo quando vivenciam uma atividade em vez de simplesmente lerem sobre ela.

ATIVIDADE: A "SELVA" DE *ICEBERG*

OBJETIVOS

- Ajudar os professores a identificarem os efeitos da punição em longo prazo.
- Ajudar os professores a substituírem frases desencorajadoras por frases encorajadoras e empoderadoras.

INSTRUÇÕES

1. Divida os professores em quatro grupos, cada grupo com quatro a seis participantes. Cada grupo trabalha em um dos quatro objetivos equivocados do Quadro dos Objetivos Equivocados.
2. Cada grupo recebe um dos quatro pôsteres, correspondente ao seu objetivo equivocado.
3. Distribua etiquetas adesivas para os professores nos quatro grupos. Baseando-se no objetivo equivocado que cada grupo representa, peça que listem os comportamentos dos alunos que despertam, no professor, os sentimentos identificados na segunda coluna. Os professores devem colar essas etiquetas na ponta do *iceberg*.
4. Os professores do grupo "Atenção indevida" escolhem uma pessoa para representar um aluno. Os outros professores ficam de pé em cadeiras alinhadas em uma fileira para representar os professores. O "aluno" segura o pôster na frente de seu peito e caminha ao longo da fila fazendo uma pausa na frente de cada "professor".
5. Os "professores" que estão de pé, nas cadeiras, respondem de forma reativa aos comportamentos escritos nas etiquetas com ações ou frases exageradas da terceira coluna do Quadro dos Objetivos Equivocados.

O "aluno" não reage, apenas ouve as palavras desencorajadoras (mas familiares) e fica atento ao que está pensando, sentindo e decidindo fazer.

6. Ao final dessa encenação, o "aluno" compartilha o que ele estava pensando, sentindo e decidindo fazer ao escutar os professores. Normalmente, o "aluno" diz algo como "Eu estava pensando que esses professores são malvados (ou idiotas). Eu estava me sentindo com raiva (ou magoado) e eu estava decidindo evitá-los e me rebelar (ou desistir)". Também perguntamos aos "professores" o que eles estavam pensando, sentindo e decidindo, enquanto eles estavam sendo tão desencorajadores. Muitos deles admitem que sabiam que o que eles estavam fazendo não era eficaz. Eles só não sabiam o que mais podiam fazer.

7. Mostre ao "aluno", a lista de características e habilidades de vida (na p. 13) e pergunte se ele aprendeu alguma coisa daquela lista. A resposta é sempre não.

8. Os "professores" descem das cadeiras e recebem tiras de papel, cada uma com uma ou mais frases encorajadoras. O "aluno" novamente caminha e faz uma pausa na frente de cada "professor" e ouve enquanto o "professor" lê em voz alta uma frase encorajadora.

9. Depois, pergunte ao "aluno" o que ele estava pensando, sentindo e decidindo fazer enquanto as frases eram lidas, e o que ele aprendeu em relação à lista de características e habilidades de vida. Normalmente, a resposta é: "A maioria delas". Os professores também são convidados a compartilhar o que eles estavam pensando, sentindo e decidindo fazer. Muitos se surpreendem ao perceber o quanto se sentem mais eficazes ao usar as frases encorajadoras.

10. Os grupos que representam os outros objetivos equivocados repetem o processo.

Frases encorajadoras para "Atenção indevida"

- Vamos fazer um acordo. Que tal se você se sentar e fazer seu trabalho e depois podemos conversar por alguns minutos na hora do intervalo?
- Isso é importante. Por favor, coloque na pauta.
- Eu estou te ouvindo, mas não consigo responder até a hora do intervalo.
- Você estaria disposto a distribuir esses papéis?

- Não posso aceitar isso. Se quiser, ficarei feliz em falar sobre o assunto, com respeito, quando você estiver pronto.
- Agora é um momento de silêncio. Podemos falar em voz alta mais tarde.
- Eu me importo com você, e a resposta é não.
- Por favor, guarde essa ideia para um momento especial.
- Amanhã você pode usar um minuto inteirinho para ensinar o grupo a fazer caretas.
- Pergunte-me mais tarde.

Frases encorajadoras para "Poder mal dirigido"

- O que você entendeu sobre o nosso acordo?
- Qual foi o nosso combinado?
- Preciso da sua ajuda. Que ideias você tem para resolver esse problema?
- Vamos negociar. Por que você não me diz o que tem em mente e eu vou lhe dizer o que eu tenho em mente, e podemos ver se há algo que poderia funcionar para nós dois?
- O que iria ajudá-lo mais: colocar esse problema na pauta ou achar uma solução na Roda de Escolha (veja o Cap. 7)?
- Em vez de discutir, quer colocar isso na nossa pauta da reunião de classe ou quer que eu coloque?
- Essa é uma maneira de ver as coisas. Eu vejo de uma maneira diferente. Quer ouvir o que eu acho?
- Nós podemos ouvir um ao outro, sem precisar concordar.
- Acho que estamos em uma disputa de poder. Vamos primeiro nos acalmar e, depois, começaremos de novo.
- Vamos fazer desta maneira até que tenhamos tempo para elaborar um plano de que todos gostem.

Frases encorajadoras para "Vingança"

- Você está realmente muito magoado. Eu sinto muito.
- Por que nós dois não fazemos uma pausa, nos acalmamos, e depois voltamos e tentamos novamente?
- Eu não estou interessado em quem começou

com isso. Eu quero saber como podemos resolver isso de forma respeitosa.
- Você deve estar chateado porque você sempre se mete em encrenca e o(a)_____ sempre se "safa".
- Vamos caminhar até o parquinho juntos.
- Quando você magoa os outros, eu me pergunto com o que você está magoado.
- Parece que você está tendo um dia muito ruim. Você gostaria de falar sobre isso?
- Você sabe que eu me preocupo com você de verdade?
- Nós podemos resolver isso, mas não desta forma.

Frases encorajadoras para "Inadequação assumida"

- Lembra quando você tentou _____ pela primeira vez? Lembra quanto tempo levou até que você ficasse bom nisso?
- Que tal dar primeiro este passo?
- Vamos fazer isso juntos.
- Seu cérebro fica mais forte ao tentar coisas novas e fazê-las mais e mais vezes.
- Não há problema em cometer erros. É assim que aprendemos.
- Seu sorriso ilumina a nossa sala.
- Vou escrever a primeira letra e você escreve a próxima.
- Eu não lembro como _____. Você poderia me mostrar? Eu preciso da sua ajuda.

Frases encorajadoras para qualquer objetivo equivocado

- Você quer pensar junto comigo como gostaria de aumentar a sua nota? Se sim, como você quer fazer isso?
- Quando você guardar o material, podemos passar para a próxima atividade.
- Vamos tentar desta forma por uma semana e, então, podemos reavaliar.
- Você pode tentar novamente.
- Eu te aviso quando eu estiver pronto para tentar novamente.
- Eu me pergunto com o que você está tão chateado, irritado, magoado, incomodado etc.

- Puxa! Você está realmente irritado, chateado, incomodado etc. Quer conversar sobre isso comigo?
- Eu me sinto _____ porque _____ e eu gostaria que _____.
- Lápis. Quieto. Mais tarde. Intervalo. (Uma palavra!)
- Eu posso ver que isso é realmente importante para você.
- Eu posso ver como você trabalhou duro nisso e quanto tempo dedicou a isso.

Ao ler a atividade "A 'selva' de *iceberg*" e as frases encorajadoras, você provavelmente pode imaginar muitas situações nas quais poderia aplicá-las. Você pode fazer várias cópias das frases e colocá-las em lugares acessíveis para que possa consultá-las quando percebe que encorajamento é necessário, mas não consegue lembrar as palavras. Essas frases podem ser modificadas para serem usadas em casa, no trabalho ou com pessoas queridas.

Você também pode ensinar aos seus alunos sobre os Quatro Objetivos Equivocados. Os professores que ensinaram seus alunos a usar o Quadro dos Objetivos Equivocados para reconhecer comportamentos desencorajadores e a buscar opções que realmente funcionam dizem que essa é uma das ferramentas mais poderosas para criar paz nas salas de aula.

Ter uma melhor compreensão das crenças por trás do comportamento e do fato de que "pessoas que se comportam mal são pessoas desencorajadas" pode ser muito estimulante para as crianças. A atividade a seguir ensinará os alunos a usar suas habilidades de levantar ideias para encorajar uns aos outros.

ATIVIDADE: QUATRO OBJETIVOS EQUIVOCADOS

OBJETIVOS

- Dar aos alunos ferramentas para incentivarem uns aos outros de maneira que possam fazer a diferença.
- Ajudar os alunos com comportamentos difíceis a achar o senso de aceitação e importância na sala de aula sem ter de se comportar mal – sendo proativo em vez de reativo.

MATERIAL

Um Quadro dos Objetivos Equivocados plastificado e ampliado o suficiente para que todos possam ver.

INSTRUÇÕES

1. Pendure o Quadro dos Objetivos Equivocados em um local de destaque e peça a seus alunos para pensarem em uma situação em que se sentiram irritados. Aponte para "Irritado" na segunda coluna. Corra o seu dedo pelo quadro até a última coluna para mostrar aos alunos a lista de possíveis respostas motivadoras que eles poderão usar quando se sentirem irritados. Vá para a quinta coluna, que é a crença por trás do comportamento da criança. Diga a seus alunos que, se eles se sentem irritados, a pessoa com quem eles têm um problema pode estar pensando: "Eu importo (sou aceito) só quando estou sendo percebido ou recebendo tratamento especial. Só sou importante quando mantenho você ocupado comigo".
2. Coloque seu dedo na primeira coluna e deixe que seus alunos saibam que o objetivo equivocado da criança se chama "Atenção indevida".
3. Enfatize que, se um aluno quiser ajudar aquela pessoa a mudar o seu comportamento irritante, tudo o que ele tem de fazer é usar as soluções encorajadoras do lado direito do quadro.
4. Repita o mesmo exercício com cada um dos objetivos equivocados. Isto é, peça para pensarem em uma situação na qual se sentiram com raiva (Poder mal dirigido), magoados (Vingança) ou desesperados (Inadequação assumida). Aponte os sentimentos no quadro para cada um dos objetivos, assim como foi feito para "Atenção indevida".
5. Saliente que se os alunos simplesmente reagirem, em vez de compreenderem a questão do desencorajamento, e oferecerem escolhas mais encorajadoras, tudo o que vai acontecer é que o "mau comportamento" continuará.

COMENTÁRIO

Uma mensagem poderosa para os alunos é que eles podem mudar seu comportamento para serem motivadores e que isso pode levar a outra pessoa a mudar.

> O Quadro dos Objetivos Equivocados apresenta sugestões que convidam as crianças que se comportam mal a agir de uma forma mais respeitosa, incentivadora e empoderadora.

Assim que seus alunos compreenderem como identificar os objetivos equivocados de outras pessoas, incentive-os a usar suas habilidades em sala de aula. O quadro a seguir foi criado por alunos de uma turma de quinto ano para ilustrar como eles poderiam motivar crianças identificadas com cada um dos objetivos equivocados.

TABELA DE ENCORAJAMENTO

Atenção indevida	Poder mal dirigido	Vingança	Inadequação assumida
Caminhe com ele pela escola	Peça que lhe conte suas ideias	Peça desculpas se você o magoou	Permita que ele ajude alguém em algo que é bom
Sente-se com ele no intervalo	Deixe-o ser o "chefe da fila"	Seja amigo dele	Diga-lhe que ele é bom
Ria de suas histórias	Coloque-o como responsável por um projeto ou tarefa	Convide-o para sua festa de aniversário	Peça para outro aluno trabalhar com ele
Converse com ele	Peça sua ajuda para ensinar algum colega	Elogie-o	Diga a ele que matemática era difícil para você também

Uma turma criou plaquinhas com palitos de sorvete para cada um dos objetivos equivocados. Cada aluno tinha um conjunto de quatro palitos. A turma concordou que, se alguém se comportasse de maneira a incomodar, os alunos tentariam adivinhar qual seria a crença equivocada e segurariam o palito com a plaquinha correspondente. A intenção não era rotular, culpar ou julgar, mas sim ajudar a pessoa que estivesse incomodando com um lembrete amigável. O aluno que se comportasse mal poderia então decidir se ele gostaria de escolher um comportamento mais útil em vez de um comportamento perturbador.

Há uma nota divertida para essa história. Adivinhe quem obteve a plaquinha do "Poder mal dirigido" com mais frequência? O professor. Esse professor bem-humorado diria: "Tá bom, estou vendo que estou tentando mandar em vocês. Quem tem ideias sobre o que eu poderia fazer para estimular a cooperação?" Esse professor demonstrou que cometer um erro não é ruim e que o grupo pode ajudar uns aos outros a fazer mudanças efetivas.

Dois dos nossos colegas escreveram letras de músicas para ajudar pais e professores a compreenderem melhor os Quatro Objetivos Equivocados.[1] Usar as canções sobre os objetivos equivocados pode melhorar a compreensão dos alunos. Depois de tocar cada música, pergunte, com bom humor, se qualquer um dos comportamentos mencionados na música é familiar. Você também pode observar se aparecem sinais de reconhecimento (risos, sorrisos, aceno com a cabeça), enquanto as músicas estão tocando. Conduza uma discussão sobre o que os alunos pensam a respeito da crença equivocada em cada música e suas sugestões sobre como as pessoas nas músicas poderiam ser motivadas.

Veja como um diretor de Ensino Médio lidou com a parte submersa do *iceberg*. Na primeira vez que o diretor Jim Sporleder tentou uma abordagem encorajadora para disciplinar os alunos na Lincoln High School, em Walla Walla, Washington, Estados Unidos, ele ficou surpreso que tenha dado certo. Na verdade, deu tão certo que ele nunca mais voltou à velha abordagem comportamental para disciplinar os alunos. A reportagem abaixo conta o que aconteceu.

Um aluno irritado fala um palavrão para o professor. A abordagem usual na escola Lincoln – e, podemos dizer, na maioria das escolas de ensino médio – seria a suspensão automática. Em vez disso, Sporleder faz a criança se sentar e diz baixinho: "Uau. Você está bem? Essa não é uma atitude típica sua. O que está acontecendo?" Ele foi ainda mais específico: "Parece que você está muito estressado. Em uma escala de 1-10, quanta raiva você sente?"

O garoto estava pronto. Pronto, cara! Para um acesso de raiva bem diante de seu rosto... "Como você pode fazer isso?" "O que há de errado com você?"... E para ser suspenso da escola. Mas ele não estava pronto para a

---

1 Wayne Frieden e Marie Hartwell-Walker, *Behavior Songs*, fita de áudio (Orem, Utah, Estados Unidos: Empowering People Books, Tapes and Videos, 1988). Para obter informações sobre como comprar as músicas, acesse o site www.positivediscipline.com.

bondade. As defesas de aço se derreteram como gelo sob um maçarico, e as palavras surgiram: "Meu pai é um alcoólatra. Ele me prometeu coisas a minha vida inteira e ele nunca mantém suas promessas." A enxurrada de palavras que narra sua vida, que não é nem um pouco fácil em casa, termina com esta frase: "Eu não deveria ter explodido com o professor."[2]

De acordo com o artigo, o garoto pediu desculpas ao seu professor sem ninguém ter mandado. Ele também foi encaminhado para uma "suspensão interna" na escola, um espaço positivo onde as crianças podem se acalmar, ficar em dia com as lições de casa ou falar sobre qualquer coisa com o professor supervisor. O artigo comparou o número de suspensões antes da nova abordagem de perguntar às crianças "O que está acontecendo?" (798) com o número após as alterações que Sporleder instituiu (135).

Desafiamos você a levar uma hora, meio dia, um dia, ou até mesmo uma semana, para se dedicar a explorar a parte submersa do *iceberg* dos seus alunos. Nós gostaríamos de ver suas histórias de sucesso na página do Facebook de Disciplina Positiva ou em nossos blogs.

---

2 "Lincoln High School em Walla Walla, WA, Tries New Approach to School Discipline – Suspensions Drop by 85%". *ACES Too High News*, 23 de abril de 2012, http://acestoohigh.com/2012/04/23/Lincoln-high-school-in-walla-walla-wa-tries-new-approach-to-school-discipline-expulsions-drop-85/. Consulte também "*Walla Walla: A Compassionate Approach to Discipline*", League of Education Voters, de 26 de junho de 2012, http://www.educationvoters.org/walla-walla/.

DISCIPLINA POSITIVA EM AÇÃO

Uma criança começou bem a aula de música ontem. Mas, no meio de uma discussão sobre "The Blue Sky Song", ela de repente anunciou: "Eu sou um cachorro!" Ela se deitou no meio do círculo e começou a latir. Eu gentilmente pedi para ela se sentar e ouvir, mas ela não fez isso, nem fez contato visual comigo.

Eu notei a minha irritação e lembrei-me do Quadro dos Objetivos Equivocados da abordagem da Disciplina Positiva. O que eu faço com essa criança? Redireciono? Sugiro que ela faça uma pausa? Lembrei-me de uma tarefa que ela podia fazer por mim lá na sala de música. Demoraria um minuto, mas eu decidi pedir a ela para tirar todos os xilofones das prateleiras para mim. Xilofones não eram a próxima atividade, mas seriam usados no fim da aula. Sem mencionar o seu "latir", eu sussurrei para ela: "Você poderia, por favor, me ajudar tirando os xilofones da prateleira?"

Ela imediatamente parou de latir e foi calmamente tirá-los. O resto da turma e eu terminamos nossa discussão. No final, ela contribuiu para a discussão com algumas palavras sábias e interessantes. Em seguida, cantamos duas músicas, jogamos um jogo e fizemos a atividade com os xilofones. Ela foi educada e concentrou-se durante toda a aula, e acabou por ser uma boa compositora (que foi o que eu disse a ela).

Então, viva! Nenhuma cena desagradável! Eu não tenho a menor ideia do porquê ela se comportou mal, mas é maravilhoso que as estratégias de Disciplina Positiva funcionem tão bem assim!

Professor de música, Aurora School,
Oakland, Califórnia, Estados Unidos

5
CONEXÃO ANTES DA CORREÇÃO

Ver através dos olhos do outro, escutar com os ouvidos do outro, sentir com o coração do outro. Por enquanto, isso me parece ser uma definição aceitável do que chamamos de sentimento social.

Alfred Adler

Evidências científicas relevantes demonstram que o aumento do nível de conexão que o aluno tem com a escola prevê o sucesso acadêmico. Isso diminui faltas, brigas, *bullying* e vandalismo, enquanto promove motivação educacional, motivação na sala de aula, boa performance acadêmica, alta frequência escolar e alta taxa de graduação. Conexão é a crença por parte do aluno de que os adultos se importam com ele, como indivíduo, e com seu aprendizado. Em outras palavras, para obter sucesso, os alunos necessitam sentir que são "aceitos" na sua escola. Estas sete qualidades parecem influenciar a ligação positiva do aluno com sua escola:

- Ter um senso de aceitação e de fazer parte da escola.
- Gostar da escola.
- Perceber que os professores dão apoio e se importam.
- Ter bons amigos na escola.
- Estar empenhado no seu atual e futuro progresso acadêmico.
- Acreditar que a disciplina aplicada é justa e efetiva.
- Participar de atividades extracurriculares.

Esses sete fatores, medidos de maneiras diferentes, são altamente indicativos do sucesso na escola, porque cada um traz consigo um senso de conexão

– do aluno consigo mesmo, com a comunidade e com seus amigos.[1] Apesar de o resultado da pesquisa ser impressionante, ainda mais convincentes são os relatórios dos alunos.

Foi perguntado a um grupo de alunos do Ensino Fundamental II: "O que acontece normalmente quando você se mete em confusão na escola?" As respostas foram as mais variadas incluindo isolamento, frequentar a escola aos sábados, ficar retido na hora do intervalo, suspensão, receber lição de casa extra, ter alguém gritando com eles, ficar de castigo ou apanhar em casa, ter os pais visitando a escola e sentando-se com seus filhos para envergonhá-los, ou ser mandado para orientação (o que é definido por eles como "ser mandado para a diretoria para ouvir um sermão").

Depois, os alunos receberam a seguinte pergunta: "Quantos de vocês já vivenciaram qualquer uma dessas consequências?" De todos os presentes, dois foram espancados em casa por ter mau comportamento na escola. Pais de cinco desses alunos foram à escola depois de uma ocorrência. Todos já ficaram em isolamento, de castigo, ouviram gritaria ou receberam lição de casa extra. Pelo menos sete dos dez alunos ficaram isolados na hora do almoço, tiveram aula aos sábados e foram suspensos. Quando foram perguntados se essas intervenções os ajudaram a se comportar melhor na escola, eles disseram: "Não!" em uma só voz. Quando foram indagados sobre se essas intervenções os ajudaram a se sentir amados, cuidados e motivados a cooperar, eles deram risada e responderam: "O que você acha?"

Então continuamos: "Por que vocês acham que os adultos fazem esse tipo de coisa se não ajuda em nada?" Alguns responderam: "Porque eles gostam do poder". Então perguntamos: "Vocês não acham que eles fazem isso porque se importam com vocês e querem ajudá-los a fazerem escolhas melhores?" As crianças só deram risada.

---

1   "School Connectedness: Strenghthening Health and Education Outcomes for Teenagers", edição especial do *Journal of School Health* 74, n. 4 (setembro de 2004), http://www.jhsph.edu/departments/population-family-and-reproductive-health/_archive/wingspread/September issue.pdf.

CRIANDO UMA CONEXÃO

A percepção das crianças de que seus professores se importam com elas é o ingrediente primário para desenvolver o seu senso de conexão (serem aceitas e terem importância). O dr. James Tunney, um ex-educador e juiz da Liga Nacional de Futebol Americano dos Estados Unidos, desenvolveu um estudo para a sua tese de doutorado no qual a percepção da importância é medida.[2] Primeiro, ele perguntou aos diretores da escola: "Você se importa com os seus professores?" Os diretores sempre relataram que seus professores eram altamente importantes. Depois, o dr. Tunney coletou as respostas desses professores e descobriu que eles tinham a percepção de serem considerados pouco importantes.

O próximo passo era perguntar aos professores: "Você se importa com seus alunos?" Claro que os professores relataram que seus alunos eram altamente importantes. Mas adivinha? Os alunos tinham a percepção de que seus professores pouco se importavam com eles.

Durante um treinamento interno, quando perguntamos aos professores quantos deles se importavam com seus alunos, todos levantaram as mãos. Então prosseguimos: "Quem acha que seus alunos sabem o quanto você se importa com eles?" Apesar de poucas mãos serem levantadas, a maioria dos professores ainda acha que os alunos percebem a mensagem de serem importantes. Infelizmente, como a pesquisa do dr. Tunney mostra, pouquíssimos alunos acham que os professores se importam com eles a não ser que eles tenham boas notas. Eles têm a tendência de acreditar que os professores só se importam com os alunos que têm notas excepcionais, os quais conseguem "ler" o professor e que sabem "jogar o jogo" na sala de aula.

A próxima atividade pode ser realizada durante uma reunião de professores, para oferecer a eles um espaço para compartilhar diversas maneiras de demonstrar que se importam com os alunos.

Um grupo de professores que realizou essa atividade identificou que os alunos sentem que você se importa quando: faz perguntas sobre eles, os auxilia a ver erros como oportunidades de aprendizado e de crescimento e demonstra

---

2 James Joseph Tunney e James Mancel Jenkins, *A comparison of Climate as Perceived by Selected Students, Faculty and Administrators in PASCL, Innovative and Other High Schools* (Ph.D. diss., University of Southern California, 1975).

ATIVIDADE: SERÁ QUE OS ALUNOS SABEM QUE VOCÊ SE IMPORTA COM ELES?

OBJETIVO

Oferecer um meio de verificar, de fato, quantas vezes e de que maneiras os professores enviam a mensagem de que eles se preocupam com seus alunos.

COMENTÁRIO

Pesquisas mostram que o maior índice de realização é a percepção do aluno em relação à seguinte questão: "O professor gosta de mim?"

MATERIAL

> Cartolina
> Canetinhas
> Fita crepe

INSTRUÇÕES

1. Com um grupo de professores, discuta o resultado da pesquisa feita pelo dr. James Tunney descrito anteriormente.
2. Forme grupos de três a cinco pessoas. Cada grupo recebe uma cartolina e uma canetinha.
3. Cada grupo escolhe uma pessoa para ser o escrevente. Em três minutos, elabore o maior número de ideias possível sobre maneiras de demonstrar aos alunos que os professores se preocupam com eles. O escrevente anota todas as ideias.
4. Ao final dos três minutos, cada grupo pendura seu papel na parede usando a fita crepe. Um voluntário de cada grupo lê, em voz alta, a sua lista.
5. Prossiga a reflexão com as seguintes questões:
   Que novas ideias você teve?
   O que você notou sobre o seu comportamento com os alunos? Que metas você pode estabelecer para as próximas semanas para demonstrar que você se preocupa com eles?
6. Peça a um voluntário para digitar a lista de ideias de todos os grupos, eliminando as ideias repetidas. Distribua uma cópia para cada professor como um lembrete diário sobre as diversas maneiras de demonstrar que ele se importa com os alunos.

ter fé na habilidade deles de contribuir de maneira significativa. Eles sabem que você se importa quando sentem que são ouvidos e que você leva a sério seus pensamentos e sentimentos. Eles sabem que você se importa quando os respeita o suficiente para envolvê-los no processo de tomada de decisões. Eles sabem que você se importa quando os ajuda a entender as consequências de suas escolhas em um ambiente não ameaçador, que encoraja a solucionar os problemas em vez de usar punição.

O PODER DA IMPORTÂNCIA

Uma atmosfera que valoriza a importância começa quando o professor orienta seus alunos a tratarem uns aos outros com respeito, de maneira a demonstrar que um se importa com o outro. Carter Bayton, professor de uma escola no centro de Nova York, expressou a ideia de importância nestas palavras comoventes: "Você tem que tocar o coração antes de chegar à mente." Em setembro de 1991, a revista *Life* destacou um artigo sobre Bayton e 17 alunos do segundo ano que foram rotulados como "incapazes de aprender" em uma sala de aula normal.[3] Bayton ensinou os incapazes tão bem que, em seis meses, eles desafiaram a classe "normal", na qual eles tinham sido considerados inaptos para a aprendizagem, em uma competição de matemática – e eles ganharam!

Carter Bayton entende a importância de tratar os alunos com gentileza e firmeza. Assegurar-se de que seus alunos percebem que você dá importância a eles é uma parte essencial do relacionamento professor-aluno. Os professores têm muitas oportunidades de transmitir a mensagem da importância. Nós o encorajamos a aproveitá-las. Quando os alunos sentem que são importantes, eles querem cooperar em vez de se comportarem mal. Quando eles não sentem que precisam se comportar mal para ganhar controle e se sentir importantes, eles se libertam para aprender. Você poderá encontrar outras sugestões para demonstrar importância nas seções seguintes, sobre barreiras e alicerces.

---

3   Denise L. Stitson, "Yearning to Learn", *Life*, setembro de 1991.

ATITUDES E HABILIDADES QUE CRIAM CONEXÃO

Como vimos, muitos professores se importam com seus alunos, mas os alunos não estão captando a mensagem. Apesar de você entender a importância de se conectar com seus alunos, você pode estar fazendo algo que manda uma mensagem diferente, assim como aconteceu com uma professora do Ensino Médio. Os alunos estavam em conflito intenso com a professora, a qual não entendia o porquê da hostilidade deles. Um visitante na sala de aula observou e ouviu o tom de voz da professora (essa professora, assim como muitas outras, não era consciente do seu tom de voz e de como isso afetava seus alunos). Todas as vezes que os alunos se comportavam mal, ela gritava com eles, criticava-os e humilhava-os na frente de toda a classe. Quando a aula terminou, esse abalado visitante perguntou à professora se ela gostaria de ouvir alguns comentários sobre a sua observação. Ao concordar, ela recebeu o seguinte parecer: "Você está tentando apagar uma pequena chama com um maçarico." Uma vez consciente do seu jeito e do seu tom, a professora decidiu modificar esses dois aspectos na aula seguinte. No fim do dia, ela disse a um outro colega de trabalho: "Minha classe estava bem mais calma esta tarde, depois que eu decidi guardar meu maçarico."

Ao final de uma atividade durante um *workshop* de Disciplina Positiva na sala de aula, um professor ficou maravilhado ao perceber que: "Quando eu critico meus alunos, eu falo alto o suficiente para os outros ouvirem. Quando tenho algo gentil a dizer, digo em um tom de voz tão suave que os outros normalmente não conseguem ouvir."

ESCUTE E LEVE AS CRIANÇAS A SÉRIO

Robert Rasmussen, chamado de Ras por seus alunos, foi eleito Professor do Ano cinco vezes consecutivas por alunos de todo o Ensino Médio. A escola do distrito premiou esse professor como o Professor do Ano. Um dia, enquanto ele estava fora da sala de aula, perguntamos aos seus alunos por que eles achavam que o professor tinha recebido essa honra. As respostas continham basicamente três aspectos: "Ele nos respeita", "Ele nos escuta" e "Ele curte seu emprego".

Nós perguntamos: "O que curtir o emprego tem a ver com isso?" Um dos alunos explicou: "Muitos professores trazem para o trabalho um problema de atitude. Eles nos odeiam. Eles odeiam o seu próprio trabalho. Eles parecem odiar a vida. Eles descontam na gente. Ras é sempre otimista. Ele parece curtir seus alunos, seu emprego e a vida em geral – incluindo a gente."

Ras tem uma maneira única de assegurar que a mensagem da importância (conexão) está sendo passada. Ele tem um urso de pelúcia na sua sala e o apresenta dizendo: "Este é o urso carinhoso. Se algum de vocês se sentir desencorajado ou um pouco para baixo, venha pegar o urso. Ele o fará se sentir melhor." No começo, os alunos acharam que Ras era louco. Afinal, esses alunos do Ensino Médio eram jovens adultos. Mas logo eles pegaram o espírito da coisa. Todos os dias vários alunos, incluindo seus enormes jogadores de futebol americano, se aproximavam da mesa de Ras e diziam: "Eu preciso do urso."

O urso ficou tão popular que Ras teve que providenciar mais ursos para atender à demanda. Algumas vezes, as crianças andavam com os ursos o dia inteiro, mas sempre os traziam de volta. Outras vezes, quando Ras notava que algum aluno estava meio para baixo, ele levava o urso até o aluno. Essa é uma maneira simbólica de dizer: "Eu me importo. Eu não posso passar um tempo só com você agora, mas eu me importo."

FAÇA UMA EXCURSÃO

A professora de Ensino Fundamental II Brenda Rollins escreveu em seu Facebook: "Em casa e de banho tomado depois de ter levado 73 alunos do Ensino Fundamental II para uma excursão de bicicleta. Foi divertido ver os gambás correndo por todos os lados no acampamento a noite toda e o guaxinim dentro da barraca, mas agora estou exausta." Ao responder aos comentários sobre se as crianças se divertiram, ela disse: "Todos se divertiram; a maioria não sabia que era capaz de pedalar por mais de 11 km, ou ir ao parque ou qualquer outro lugar usando a bicicleta."

Brenda, juntamente com outras duas professoras, dois pais e dez outros entusiasmados ciclistas, fez dessa experiência algo positivo para os novos alunos. Não apenas foi divertido, como também foi uma maneira de as crianças se relacionarem entre si, de os professores conhecerem melhor seus alunos fora da sala de aula e de fortificar a relação professor-aluno. A escola de Brenda, Santa Rosa Charter School, é uma escola que aplica a Disciplina Positiva e encoraja excursões durante todo o ano, incluindo uma viagem para Ashland,

Oregon, Estados Unidos, para assistir ao Festival de Shakespeare. Essas excursões proporcionam às crianças, aos professores e aos pais uma celebração à alegria de ensinar e estarem juntos, além de aventuras educacionais.

APRECIE A SINGULARIDADE

Um professor criou um jogo de cartas de beisebol para a sua sala de terceiro ano. Cada carta tinha a foto de um aluno e seu apelido. Os apelidos expressavam o interesse único de cada criança. Por exemplo, em uma das cartas estava escrito: "Collen, o Amante de Gatos" e, em outra, "Sean, o Rebatedor". Apesar de levar tempo e habilidade para criar essas cartas, pode ser divertido deixar as crianças pensarem nos seus apelidos juntas, contanto que sejam respeitosos.

Uma outra maneira de expressar a singularidade de cada aluno é deixar que criem sua própria camiseta. Você também pode realizar esta atividade com outros colegas de trabalho durante uma reunião de professores.

ATIVIDADE: CRIE SUA PRÓPRIA CAMISETA

OBJETIVO

Ajudar alunos e professores a se tornarem mais conscientes de sua singularidade e da dos outros.

MATERIAL

Fita crepe
Papel no formato de uma camiseta (um para cada aluno)
Instruções escritas no cavalete ou na lousa:
1. Escreva seu nome no topo da camiseta.
2. No meio da camiseta, escreva uma palavra que descreve você.
3. Por toda a camiseta, escreva palavras que descrevem algumas das suas características e interesses favoritos.
4. Na barra da camiseta, escreva algo sobre você que a maioria das pessoas provavelmente não sabe.

INSTRUÇÕES

1. Dê 10 minutos para os alunos criarem suas camisetas.
2. Peça aos alunos que "vistam" a camiseta usando a fita crepe.
3. Faça grupos de três a cinco pessoas para que compartilhem o que foi escrito nas suas camisetas.
4. Peça aos alunos que andem pela sala procurando por outros que tenham interesses e características similares.
5. Peça aos alunos que encontrem alguém que não tem interesses ou características similares, e peça que façam perguntas sobre o que eles observam na camiseta do outro.
6. No final da atividade, reflita com a classe sobre o que eles aprenderam. Faça as seguintes perguntas:
O que vocês aprenderam com esta atividade?
Quantos de vocês encontraram alguém com um interesse sobre o qual gostariam de aprender mais?
Quantos de vocês encontraram outros colegas com características e interesses similares?
Quantos de vocês perceberam que têm um talento que pode ser usado para ajudar os outros?
Quantos de vocês descobriram que outros têm pontos fortes que poderiam ajudar vocês?

USE SEU SENSO DE HUMOR PARA CRIAR UMA CONEXÃO

Muitas vezes, os professores se esquecem de tratar o humor em situações com os alunos. Ao contrário do que é dito aos professores em início de carreira, é permitido não levar tudo a sério o tempo todo. A sra. Turner usa um jogo chamado "Vamos fazer um acordo" com sua classe, e as crianças adoram. Ela diz: "Olha, turma, chegou a hora do 'Vamos fazer um acordo'. Eu gosto de começar na hora e vocês gostam de sair na hora. Eu vou esticar o tempo que temos que esperar para começar, e vocês têm que ficar depois do sinal. Combinado?" As crianças resmungam e se sentam.

Alguns professores usam sarcasmo sob o disfarce de humor e humilham seus alunos. Outros tiram sarro de seus alunos. Isso não é respeitoso. O sentimento que você tem quando faz algo é tão importante quanto a sua ação.

O sr. Barkley tem um senso de humor frio que os alunos amam. Os alunos sabem que ele se importa e preza pelo sucesso deles na escola. Eles pressentem o sentimento que motiva o que ele faz, e o senso de importância transcende a sua atitude.

Um dia, o sr. Barkley estava lidando com um aluno que sonhava acordado. Ele colocou a mão levemente sobre o ombro do aluno e disse: "Imagine isto. Você tem 18 anos. Você acorda e liga no canal da MTV. Você conhece todo mundo nos clipes e as letras das músicas. Mas alguém vai dar um emprego para você? Nem pensar! E por que não? Porque você passou o tempo todo na minha aula olhando para o nada." O aluno olhou para cima, resmungou e abriu seu livro.

Algum tempo depois, Jennifer estava passando bilhetinhos para um amigo e não estava prestando atenção na peça de teatro que o sr. Barkley estava lendo para a classe. Com uma voz suave, mas um pouco mais forte, o sr. Barkley leu: "Ser ou não ser, esta é a questão que a Jennifer pergunta a si mesma todos os dias." Ela olhou para ele e disse: "O quê? Você estava me chamando?" O sr. Barkley perguntou: "Alguém me ouviu chamar a Jennifer? Eu acho que não." A Jennifer prestou atenção até o fim da aula. Se houver cuidado sincero, as crianças entenderão a mensagem.

CRIE UMA CONEXÃO AO RESPEITAR OS INTERESSES DOS ALUNOS FORA DA ESCOLA

É fácil esquecer que os alunos têm interesses na vida além da escola. Sua vida social é extremamente importante, até porque eles geralmente estão lidando com questões de rejeição e popularidade. Eles podem estar lidando com o aborrecimento de não terem sido escolhidos para o time, nunca terem ganhado o primeiro lugar ou não serem considerados os melhores. Quando os alunos chegam ao Ensino Médio, eles podem estar aborrecidos com questões de emprego, carro, namorados, sexo e uso de drogas.

Muitas crianças funcionam com um relógio diferente do dos adultos. Eles gostam de ficar acordados até mais tarde e então têm dificuldade para acordar de manhã. E, mesmo assim, eles têm de se conformar em ir à escola bem cedo.

Nós vimos este bilhete colado na porta de uma das salas do Ensino Médio em Charlotte, Carolina do Norte, Estados Unidos: "Senhores atrasados, por favor, entrem na sala em silêncio, encontrem um lugar para sentar e procurem pelas instruções no quadro. O aprendizado começa assim que o segundo sinal tocar." Em vez de humilhar ou punir os atrasados, esse professor permite, de forma respeitosa, que seus alunos enfrentem as consequências de suas escolhas e o que devem fazer para recuperar o atraso. Desse modo, os alunos podem entrar e começar a trabalhar, em vez de ter de ir à diretoria, assinar papéis, sentir que estão em apuros ou atrapalhar a aula.

Outro professor disse aos seus alunos: "Não farei a chamada até que passem cinco minutos depois do segundo sinal. Sei que alguns de vocês têm empregos e dificuldade para coordenar todas as demandas de ser um adolescente. Seria melhor se vocês pudessem dormir até as 22h00, frequentar a escola até as 17h00 e curtir o resto da noite com a família, trabalhando e tendo uma vida social." Os alunos vibravam. Eles fazem o melhor para não tirar vantagem do professor. Eles respeitam esse professor porque se sentem respeitados. Ele sabe como assegurar que a mensagem da importância seja transmitida.

Respeito gera respeito. Desrespeito gera desrespeito. Quando os alunos agem de forma desrespeitosa, o professor deve analisar a sua própria atitude.

MELHORA, NÃO PERFEIÇÃO

Os alunos reconhecem que os professores se importam quando eles os encorajam a melhorar, em vez de buscar a perfeição. Salas de aula podem nunca ser perfeitas, mas cada fracasso pode oferecer a oportunidade de novas soluções. Mesmo que você se sinta desanimado ou dê um passo para trás enquanto, lentamente, caminha para a frente, continue questionando: "O que podemos fazer para resolver este problema?" Essa pergunta não apenas demonstra que você se importa, como também encoraja as crianças a se importarem umas com as outras.

Em uma escola, uma garota morreu em um acidente de carro. O time de crise decidiu usar as reuniões de classe para ajudar os alunos a lidarem com o luto e os medos. Nessas reuniões, os alunos reconheciam como essa garotinha tinha tocado suas vidas – cada aluno teve a chance de demonstrar o apreço por ela. Então, os professores perguntaram: "Quais são as suas preocupações agora?" Alguns alunos disseram que estavam com medo de ir para casa. Muitos nunca haviam lidado com a morte e não sabiam o que fazer.

Os alunos discutiram e encontraram várias sugestões. Uma delas foi montar uma escala de contatos para poderem se comunicar entre si, até mesmo no meio da noite. Eles fizeram uma lista de pessoas com as quais podiam conversar durante o dia. Muitos alunos sentiam que havia pessoas com quem eles podiam conversar enquanto estavam na escola: zeladores, bibliotecários, supervisor da cafeteria, conselheiros, professores, diretor da escola e seus próprios colegas. Eles tinham passes para serem usados sempre que precisassem falar com alguém. Eles também decidiram fazer um broche de fita com a foto da garota, que foi usado por uma semana em sua memória. Eles compraram uma árvore, que foi plantada e cuidada durante o ano, para se lembrarem dela. Os alunos se transformaram em modelos para os adultos ao mostrarem diversas maneiras de lidar com o luto.

O professor que está disposto a ensinar a seus alunos habilidades para se relacionarem frequentemente descobre que seu trabalho fica mais fácil e mais prazeroso. Ajudar os alunos a vivenciarem afeto, aceitação e importância é a coisa mais poderosa que o professor pode fazer – motivando-os a atingirem seu mais alto potencial, acadêmico ou não.

DISCIPLINA POSITIVA EM AÇÃO

De novo, de novo e de novo, sou grata pela Santa Rosa Charter School. Eles proporcionaram a meus filhos não só um amor saudável pelo aprendizado, como também um senso sólido de como se comportar como um ser humano decente, seja concordando ou discordando de alguém. A coisa mais linda de todas é que meus filhos (o mais novo agora tem 13 anos e está no último ano da escola) sabem disso... A Santa Rosa Charter School é parte da Cooperativa Educacional de Santa Rosa, uma organização que inclui pré-escolas pagas e as escolas de Ensino Infantil e Fundamental I e II públicas. A pré-escola é a fundação que prepara para o ingresso na Charter. Sem a pré-escola e a vontade de seus fundadores de manterem uma atmosfera de cooperação e com Disciplina Positiva, a escola Charter nunca poderia ter existido. Na Cooperativa Educacional de Santa Rosa, todas as turmas realizam reuniões de classe e as crianças aprendem as Oito Habilidades para Reuniões de Classe.

Sabrina Howell, mãe de três alunos da Santa Rosa Charter School, uma escola que utiliza a Disciplina Positiva em Santa Rosa, Califórnia, Estados Unidos

DISCIPLINA POSITIVA EM AÇÃO

Há 15 anos, quando comecei a carreira de professora, eu sabia que precisava implementar um sistema de gestão de comportamento, mas não sabia como escolher ou colocar um em prática. O que vi em outras salas e li nos livros eram sistemas autoritários envolvendo quadros de comportamento com pregadores, cartões coloridos ou escrever os nomes dos alunos na lousa. Eu decidi testar um desses sistemas na minha sala, mas meu único método de aprovação para ver se o sistema estava funcionando era se os alunos estavam quietos e decididos a seguir minhas instruções com prontidão. Certamente, esse não era o caso, então concluí que o sistema não funcionava e eu deveria tentar outro... E outro... E mais outro! Com certeza, aquele foi um ano difícil!

Passei boa parte daquele ano muito frustrada, desamparada e me sentindo impotente. Frequentemente eu levantava a voz, travava a mandíbula e, para ser honesta, chorava. No final do ano, eu decidi que poderia me comprometer a mais um ano como professora, mas prometi não repetir o mesmo desempenho do primeiro ano. Eu sabia exatamente o que eu *não* queria fazer de novo. Eu sabia que queria ajudar cada um dos meus alunos a alcançar o maior sucesso acadêmico possível, mas o que era mais importante para mim era tentar e realmente vê-los pelo que eles eram, e me relacionar com eles em um nível pessoal. Estava absolutamente claro que, na falta desse relacionamento no nível pessoal, o sucesso acadêmico não seria possível.

Durante os dez anos seguintes, muito do que fiz e senti enquanto ensinava se encaixa direitinho na Disciplina Positiva. Porém, somente em 2007 me deparei com os livros *Disciplina Positiva em Sala de Aula* e *Positive Discipline: A Teacher's A-Z Guide*. Sei que parece tolo, mas enquanto lia os livros, eu pude ouvir anjos cantando! Tudo que li soava e parecia correto para mim. Eu estava maravilhada, pois todo o conteúdo que li nas páginas era o que estava sentindo, mas não tinha habilidade de verbalizar.

No verão de 2008, participei de um *workshop* de dois dias sobre Disciplina Positiva em sala de aula. Adorei cada minuto. Estava muito animada para voltar para a escola e usar minhas novas ferramentas! Comecei a implementar a Disciplina Positiva com meus alunos e, casualmente, compartilhei com os pais o que tinha aprendido nos livros e no *workshop*. Comecei a fazer reuniões de classe. O processo nem sempre foi fácil, mas meus alunos e suas ideias para resolver problemas me deixaram de boca aberta.

No último dia de aula, meus alunos e eu olhamos para a pilha de papéis que serviram como pauta das reuniões durante o ano todo. Media pelo menos 5 cm de altura! Meus alunos estavam muito orgulhosos da sua capacidade de trabalhar juntos para resolver tantos problemas (e eu também estava orgulhosa!).

    Continuei usando a Disciplina Positiva na minha sala, mas no ano passado senti que precisava abrir mão do tempo das reuniões de classe. Com o crescente número de atividades e lições planejadas requisitadas pela administração, eu realmente achei que não teria tempo para fazer tudo. Enquanto reflito sobre o ano frustrante que passamos, eu vejo que muitos, se não todos, os problemas de comportamento e de classe que me deixaram doida poderiam ter sido tratados durante as reuniões de classe. Elas eram exatamente o que meus alunos e eu precisávamos. Removê-las das atividades foi um grande erro. Felizmente, graças à Disciplina Positiva, eu sei que erros são maravilhosas oportunidades para aprender!

Anônimo

6
HABILIDADES DE COMUNICAÇÃO RESPEITOSAS

Todas as opiniões estão corretas do ponto de vista do observador.

Rudolf Dreikurs

Melhorar nossas habilidades de comunicação é um processo contínuo. Este capítulo discorre sobre como avaliar suas habilidades e adicionar ferramentas quando necessário. No Capítulo 7, vamos compartilhar atividades que você pode fazer com seus alunos para ajudá-los a se comunicarem melhor na sala de aula.

Esta atividade do termômetro irá demonstrar a diferença entre habilidades de comunicação pobres e eficazes. Experimente com um amigo para ver o que você aprende.

Peça ao seu amigo para representar um aluno que vai fingir que há um termômetro no chão entre vocês. Quando você usar palavras desencorajadoras, ele irá se afastar de você (para o lado frio do termômetro) e, quando você usar palavras que parecem encorajadoras, ele irá se mover para mais perto de você (para o lado quente do termômetro). Deixe o "aluno" saber que ele não precisa responder com palavras: apenas com movimento indicando desencorajamento (indo para o lado frio) e encorajamento (indo para o lado quente).

Comece usando qualquer uma das seguintes barreiras para a comunicação. Nós sabemos que você não falaria de fato com as crianças desta maneira, mas elaboramos exemplos extremos para ajudar a acelerar o processo de aprendizagem. Você pode usar um tom de voz acusador ao dizer as frases a seguir, uma de cada vez.

Barreiras para a comunicação
   Isso é culpa sua!
   Quantas vezes vou ter que falar sobre isso com você? Estou falando grego?
   Os outros alunos têm reclamado sobre seu comportamento e eu acredito neles!
   Quando você vai tomar jeito?
   Não estou interessado em como você se sente. Pare de chorar e agir feito um bebê!
   O que você fez? Não me diga que não fez nada!
   É melhor você fazer o que eu estou mandando ou vai tirar uma nota baixa na minha matéria.

   A essa altura, o "aluno" provavelmente foi para o lado frio do termômetro. Pergunte o que ele estava aprendendo durante essa fase da atividade.
   Agora diga ao "aluno" que você gostaria de tentar novamente. Mais uma vez, ele deve se mover para o lado frio ou quente do termômetro dependendo do que você diz. As próximas frases foram elaboradas com o objetivo de melhorar a comunicação, mas pode demorar um pouco para você ganhar a confiança do "aluno" novamente.

Estimuladores de comunicação
   Posso ver que você está chateado. Eu entendo. É triste mesmo.
   Comentaram que você não cooperou hoje. Estou interessado em ouvir a sua versão do que aconteceu.
   Se você precisar de alguma ajuda com esse problema, avise-me. Eu posso pensar em algumas ideias.
   Por que você não coloca isso na pauta da reunião de classe para que possa contar aos outros alunos sua versão da história?
   Você consegue pensar em como evitar esse problema no futuro?
   Obrigado por ter dedicado um tempo para conversar comigo sobre isso.

   Mais uma vez, peça ao "aluno" para compartilhar o que ele está aprendendo. Compartilhe com essa pessoa o que você estava pensando, sentindo e decidindo fazer nas duas vezes. O que você aprendeu com essa atividade sobre como a comunicação se deteriora na sala de aula e o que você pode fazer para melhorá-la?

TRANSFORMANDO A COMUNICAÇÃO QUE IMPEDE A CONEXÃO EM UMA COMUNICAÇÃO QUE PROMOVE A CONEXÃO

Stephen Glenn descreve cinco barreiras e alicerces para a comunicação.[1] Muitas vezes, usamos barreiras e achamos que estamos melhorando a comunicação.

Barreira da suposição *versus* verificação

É fácil supor que você sabe o que os alunos pensam e sentem sem perguntar a eles. Você pode supor o que eles podem ou não fazer e como eles poderiam ou não responder. Chamamos isso de leitura da mente, e nós ainda não achamos um adulto com certificado de vidente. Se você trata alguém de acordo com suas suposições, você pode não só deixar de descobrir quem ele realmente é, mas pode também prejudicar seu relacionamento por, inadvertidamente, ferir seus sentimentos.

Em vez de supor, você pode estabelecer uma comunicação verificando – fazendo perguntas que estimulam a curiosidade. Os métodos da Disciplina Positiva encorajam os professores a descobrirem o que os alunos realmente pensam e sentem. Quando você verifica em vez de supor, você descobre o que os alunos estão realmente pensando e sentindo sobre os problemas e questões que os afetam.

Uma professora de educação especial, treinada em mudança de comportamento, supôs que seus alunos eram incapazes de participar de reuniões de classe; ela acreditava que seu trabalho era simplesmente controlar o comportamento deles. Ela foi encorajada a testar sua suposição ao experimentar fazer uma reunião de classe com sua turma. Como as crianças não conseguiam escrever seus nomes, cada uma tinha um carimbo que poderia usar na pauta para significar que queria ajuda com um problema. A professora descobriu que as crianças eram mais capazes do que ela tinha suposto. Elas rapidamente aprenderam a expressar as suas necessidades na reunião de classe e se envolveram na resolução de problemas muito além das suposições da professora.

---

1 Sobre barreiras e alicerces, veja *Raising Self-Reliant Children in a Self-Indulgent World*, de H. Stephen Glenn e Jane Nelsen (New York: Three Rivers Press, 2002), no qual há um capítulo dedicado ao assunto.

Outra professora supôs que um grupo de meninas estava tendo problemas para jogar juntas porque havia três delas. Essa professora estava convencida de que as três meninas não poderiam jogar juntas sem uma delas ser condenada ao ostracismo. Quando ela verificou com as meninas o que estava acontecendo, elas disseram: "Professora, nós gostamos de jogar juntas. Nós só não sabemos como dividir as coisas por três se temos apenas duas bolas." Como essas meninas estavam no jardim de infância, ela perguntou se elas gostariam de algumas sugestões sobre como compartilhar duas bolas de três maneiras. Elas ficaram animadas para ouvir suas ideias. Elas gostaram principalmente da ideia de usar uma bola de cada vez e de jogá-la uma para a outra alternadamente. Quando a professora sugeriu que elas se revezassem assistindo às outras duas jogar, elas riram. A professora disse então: "Que tal se a menina com o cabelo mais enrolado assistir primeiro? Em seguida, a menina com o cabelo mais liso e, finalmente, a menina com o cabelo mais curto." As meninas disseram para a professora: "Obrigada! Podemos resolver isso." E elas resolveram, e a solução foi mais fácil do que as sugeridas pela professora. Elas usaram "pedra/tesoura/papel" para decidir de quem era a vez!

Resgatar e explicar *versus* explorar

Resgatar e explicar são barreiras para a comunicação. Você pode achar que está sendo atencioso e útil quando faz coisas para seus alunos em vez de permitir que eles aprendam com suas próprias experiências. Da mesma forma, você pode achar que está sendo útil ao explicar coisas para os alunos em vez de deixá-los descobrir a explicação sozinhos. Você pode achar interessante contar o número de vezes que tentou resgatar os alunos enquanto lhes dava um sermão, explicando o que aconteceu, o que causou aquele acontecimento, como eles devem se sentir sobre isso e o que eles devem fazer. Por exemplo, um professor pode levar uma criança pela mão e encontrar o casaco dela enquanto dá um sermão sobre responsabilidade. Você também pode achar interessante observar o olhar vazio no rosto de um aluno para ver se, por acaso, ele está tão interessado no sermão quanto você. Rudolf Dreikurs sugeriu que o melhor é nunca fazer por uma criança o que a criança pode fazer sozinha.

Explorar é o alicerce da comunicação. Mais uma vez, use a curiosidade para promover a conexão e melhorar a comunicação. A atividade "Perguntar *versus* mandar", no Capítulo 2, é uma ótima atividade para torná-lo mais curioso. Uma maneira muito simples de explorar é dizer: "Conte-me mais." Você pode em seguida perguntar: "E depois? E depois?" As crianças não precisam de muito encorajamento para lhe dizer o que pensam e como se sentem. Elas só precisam saber que você está realmente interessado em seu ponto de vista. Contanto que você ouça sem julgar, interromper ou corrigir, elas vão te contar muita coisa.

As reuniões de classe são oportunidades para os alunos explorarem o que aconteceu, o que causou o acontecimento, como o comportamento afeta os outros, como eles se sentem com relação a isso e o que eles podem fazer para resolver o problema. Se você der oportunidade para eles usarem sua própria sabedoria, os alunos muitas vezes chegam às mesmas conclusões que eles parecem ignorar quando lhes são dadas por meio dos sermões dos adultos. Esse tipo de exploração ajuda os alunos a desenvolver um lócus de controle interno, em vez de externo.

Instruir *versus* convidar e encorajar

Dar muitas instruções reforça a dependência, elimina a iniciativa e a cooperação e encoraja o comportamento passivo-agressivo (fazer a quantidade mínima de trabalho com má vontade e ainda deixar o máximo possível sem fazer só para provocar o professor). Se você não tem certeza se usa essa barreira de comunicação, é fácil descobrir ao fazer um teste. Se você perceber que você tem de repetir suas instruções constantemente e se queixa de que seus alunos não lhe ouvem, você pode ser culpado por dar muitas instruções. Se for esse o caso, você poderia trabalhar nesse alicerce da comunicação que é convidar e encorajar.

Convide os alunos a participarem do planejamento e de atividades de resolução de problemas que os ajudem a se tornar autoinstruídos: "O sinal vai tocar em poucos minutos. Eu ficaria muito grato se vocês pudessem fazer alguma coisa para me ajudar a deixar a sala arrumada para a próxima turma." Instruir incita resistência passiva ou ativa. Convidar encoraja a cooperação.

Criar expectativa *versus* celebrar

É importante que os professores tenham grandes expectativas para os jovens e que acreditem em seu potencial. No entanto, se esse potencial se tornar o padrão e você julgar os alunos negativamente por não atingirem essas expectativas, você os desencoraja. Por exemplo: "Eu estava esperando mais maturidade de você. Eu pensei que você fosse mais responsável. Eu esperava que você fosse o tipo de aluno que seu irmão foi".

Em vez de criar expectativas, busque oportunidades para celebrar realizações e singularidades. As reuniões de classe permitem que professores e alunos valorizem uns aos outros por meio de reconhecimento e da resolução de problemas. Com a prática, você descobrirá que essa habilidade vai além das reuniões de classe e pode ser usada durante todo o dia. Quando você rapidamente celebra qualquer movimento na direção do potencial ou da maturidade de um aluno, você encoraja. Quando você exige muito em pouco tempo, você desencoraja.

Suponha que um aluno que nunca arriscou fazer uma pergunta de repente faça, mas a pergunta não está relacionada com o tema sendo discutido. Você poderia valorizar esse aluno por fazer uma pergunta em vez de criticá-lo por não prestar atenção e, em seguida, perguntar se ele tem alguma coisa a dizer sobre o tema que está sendo discutido. Os alunos que colam podem ser valorizados por seu desejo de tirar uma nota boa e, em seguida, serem convidados a explorar outras maneiras de conseguir essa nota.

"Adultismos" versus respeito

"Adultismos" ocorrem quando os professores se esquecem de que as crianças não são adultos maduros e esperam que elas pensem e ajam como adultos. Exemplos: "Como você nunca…?", "Por que você não…?", "Com certeza você percebeu que…", "Quantas vezes eu tenho que falar para você…", "Eu não acredito que você fez isso!", "Você é uma grande decepção." Quase tudo que começa com as palavras *poderia* ou *deveria* ou é dito em um tom de voz raivoso é um "adultismo". "Adultismos" geram culpa e vergonha, em vez de apoio e encorajamento. A mensagem é *"Já que você não vê o que eu vejo, você é o culpado."*

Quando você pratica o respeito, reconhece que você e seus alunos têm diferentes pontos de vista. O respeito cria um clima de aceitação que encoraja o crescimento e uma comunicação efetiva. Em vez de julgar as pessoas pelo que elas não veem, encoraje os alunos a buscarem a compreensão de si mesmos e dos outros. Em vez de dizer "Você sabia o que eu queria neste projeto!", diga "Qual é o seu entendimento sobre os requisitos deste projeto?" ou "O que você estava pensando quando apresentou o seu projeto desse jeito?" Se você não estiver interessado em ouvir a resposta, não pergunte.

Os alunos geralmente não têm as mesmas prioridades que os adultos. Ir bem em matemática e ciências, ou na escola em geral, pode nem estar na lista das 100 prioridades dos alunos. Isso não significa que eles não devam estudar matemática e ciências. Isso significa que os professores devem mostrar respeito e compreensão em relação às outras prioridades dos alunos, como amigos (ou a falta deles), esportes (ou não ter sido escolhido para o time), carros ("Será que um dia eu vou ser capaz de ter um?"), dormir ("Será que meu professor não sabe que eu tenho um relógio biológico diferente?"), ou relacionamentos bons ou ruins com a família. A lista é longa.

As reuniões de classe são oportunidades para os alunos explorarem e resolverem muitas das questões que os estão incomodando. Você pode então usar algumas questões e prioridades dos alunos para ajudá-los a explorar a importância da aprendizagem. Por meio desses métodos, você pode convidar os alunos a cooperar em vez de resistir e se rebelar.

• • •

As barreiras para a comunicação geram frustração e desencorajamento tanto para professores como para alunos. Adotar os Cinco Alicerces da Comunicação empodera ambos. Quando os professores enxergam os alunos como pessoas, eles tornam mais fácil empoderar os alunos ao verificar, explorar, convidar e encorajar, celebrar e respeitar. Um professor nos contou a seguinte história:

> Eu percebi que estava estabelecendo barreiras com meus alunos. Eu supus que eles precisavam de mim para intervir e cuidar de tudo, explicar coisas, dizer para onde eles deveriam ir e o que fazer, e andar na sombra deles o dia inteiro, apontando onde eles ficaram aquém das minhas expectativas. Então eu acabava dando sermões e usando expressões como "Quantas vezes eu preciso dizer...?" ou "Você sabe fazer melhor do que isso!" Eu me sentia exausto e os alunos não estavam progredindo.
>
> Eu comecei a usar os alicerces. Verifiquei a compreensão dos alunos em relação a um problema, explorei suas percepções de como lidar com isso, convidei-os a buscar soluções, celebrei qualquer movimento na direção certa em vez de apontar onde eles ficaram aquém das minhas expectativas e mostrei

respeito por eles ao honrar seus pensamentos e sentimentos. A atmosfera da sala de aula melhorou; tal como minha disposição e o progresso das crianças.

Nenhuma técnica é melhor do que outra, mas é importante lembrar que comunicação não é simplesmente falar. Escutar, ter respeito, demonstrar curiosidade e promover o empoderamento estão envolvidos em uma boa comunicação. Se você quiser trabalhar outras habilidades de comunicação, escolha uma das seguintes opções para praticar.

QUATRO TÉCNICAS DE COMUNICAÇÃO EMPODERADORAS

Faça valer o que você diz

Os alunos sabem quando você está falando sério ou quando fala algo mesmo sem acreditar no que está dizendo. Como isso acontece? As crianças são muito científicas. Elas "ouvem" suas ações mais do que ouvem suas palavras. Se você passa muito tempo falando, instruindo, exigindo, explicando, mas não dá sequência ao que foi dito, suas palavras entram por um ouvido e saem pelo outro. Eles se tornam "surdos".

Por outro lado, se você disser uma vez e cumprir o que disser com suas ações, seus alunos sabem que o que você diz vale. Eles prestam atenção. A parte delicada é que você tem de pensar antes de dizer alguma coisa para ter certeza de que é algo que você poderá cumprir.

Por exemplo, a professora Jones disse: "Quando vocês formarem a fila em silêncio nós vamos para o parquinho." Ela não disse nem uma palavra a mais; em vez disso, ela esperou quieta até que os alunos ficassem em silêncio na fila e então abriu a porta da sala e foram até o parquinho.

O professor Singer disse: "Quem entregar atrasado leva zero!" Susie entregou uma lição atrasada que foi devolvida com um zero. Ela reclamou, choramingou e insistiu para que ele mudasse de ideia. O professor Singer sorri e diz: "Boa tentativa, Susie" e vai fazer outra coisa.

Dois alunos vêm até a professora Smith culpando um ao outro por um problema. A professora diz: "Eu não estou interessada em descobrir quem é o culpado. Em vez disso, podemos trabalhar na resolução desse problema juntos."

Ela acrescenta esse assunto à pauta da reunião de classe e diz: "Tenho certeza de que vamos resolver isso na nossa próxima reunião de classe."

Menos é mais

Se você percebe que seus alunos não estão mais prestando atenção e que as coisas estão ficando cada vez mais fora do seu controle, foque em reduzir o número de palavras que você usa. Tente dizer as coisas usando uma palavra ou uma frase curta com dez palavras ou menos.

Pense no que seus alunos vão escutar quando você diz: "Intervalo", "Silêncio", "Tempo", "Roda" (apenas uma palavra). Ou "Lápis na mesa, passem os papéis para frente, por favor." (dez palavras). "Levante as mãos se estiver pronto para a história" (nove palavras). "Busque soluções na Roda de Escolha" (seis palavras). "Hora da reunião de classe" (cinco palavras). "Sala bagunçada, hora de recolher os papéis do chão" (nove palavras).

Você se surpreenderá ao ver como os alunos ficam atentos quando você utiliza essa habilidade tão simples. Certifique-se de dizer sua palavra ou frase curta apenas uma vez, e espere em silêncio para que os alunos entendam e comecem a se mexer.

DISCIPLINA POSITIVA EM AÇÃO

Meu primeiro contato com o programa de Disciplina Positiva foi há cerca de 20 anos, quando eu comecei a usá-la em minha sala de aula. Uau! Que diferença fez para ajudar a criar um ambiente maravilhoso para as crianças pequenas! Tudo o que eu li no livro fez sentido. Os pais vieram me falar sobre mudanças que notaram em seus filhos em casa. Conversamos sobre reuniões de classe e reuniões de família. Como eu também sou mãe, comecei a utilizar as técnicas da Disciplina Positiva em casa com meus filhos e fiquei realmente impressionada com o modo como elas colaboravam no desenvolvimento do respeito mútuo.

Christine Hamilton, Eugene, Oregon, Estados Unidos

Razão, coração e intuição

Na maioria das vezes, falamos com base na razão. Na sala de aula, não há problema em falar com base na emoção ou intuição, usando palavras que expressam os sentimentos. Veja como a mesma informação soa quando vem da razão, do coração ou da intuição. Enquanto você lê os exemplos, pense sobre sua resposta para cada um.

RAZÃO – "Tem muito empurra-empurra, tapas e machucados no parquinho quando vocês estão jogando queimada. Eu acho que está na hora de banir esse jogo. Não podemos ter esse tipo de comportamento no parquinho."

CORAÇÃO – "Eu vi alguém ser atingido com força por uma bola durante o jogo de queimada e acabar com um machucado roxo. Isso me chateou. Estou receoso de que não seremos capazes de jogar esse jogo se não pensarmos em como jogá-lo de forma segura e respeitosa."

INTUIÇÃO – "Estou bravo porque alguns de vocês usam a queimada como uma forma de machucar os outros. Esse jogo está proibido até que vocês

---

DISCIPLINA POSITIVA EM AÇÃO

Nós vemos nosso programa como um triângulo: aluno-pai-guia (professor). Temos expectativas muito claras do que podemos esperar de cada um dos lados do triângulo, e nós honramos o que cada pessoa traz para o processo. Uma das coisas que temos achado muito útil é realmente encorajar todos os novos pais que se juntam à comunidade escolar a participarem de uma aula de Disciplina Positiva para pais. Tentamos deixar claro que não estamos querendo "mudar o seu estilo parental" e tentamos evitar insinuar que eles não estão educando "corretamente". Procuramos explicar que, ao participarem da aula, eles serão capazes de falar a mesma língua que os guias e administradores falam quando discutem disciplina e gestão de sala de aula, o que nos permitirá trabalhar melhor em equipe. Isso muitas vezes os estimula a participarem da aula, e a maioria deles leva a Disciplina Positiva para suas casas.

Molly Henry, diretora de uma escola que adota o Método Montessori

possam me convencer de que podem tentar jogar novamente com respeito e de forma segura. Me avisem quando tiverem um plano."

Feche os olhos, finja que você é um aluno e ouça enquanto alguém lê em voz alta cada uma das afirmações anteriores – da razão, do coração e da intuição. Qual delas teria o maior impacto sobre você? Uma pessoa disse que a declaração da razão soou como: "blá, blá, blá". A declaração do coração soou como: "O professor está chateado novamente. O que há de novo?" Mas a declaração da intuição realmente chamou sua atenção. Fingindo que era uma criança, ela se sentiu preocupada porque o professor estava com raiva e quis apresentar um plano para se certificar de que eles poderiam continuar jogando.

Muitas pessoas que são atraídas para a Disciplina Positiva não têm problema em executar a parte "gentil" do "ser gentil e firme ao mesmo tempo", mas elas têm problemas com a parte "firme". Falar de acordo com a sua intuição é uma das melhores maneiras de expressar a parte "firme" e é especialmente eficaz quando você acrescenta, de forma respeitosa, um pedido de ação.

Partida de tênis

Pense em como é jogar ou assistir a uma ótima partida de tênis. As duradouras raquetadas, que fazem a bola ir de um lado para o outro várias vezes, são emocionantes. Mas quão divertido seria se alguém jogasse a bola e ninguém estivesse do outro lado para rebater? Você provavelmente perderia o interesse muito rapidamente.

Isso é o que acontece em uma conversa unilateral. Uma ótima conversa é como uma partida de tênis, na qual o diálogo vai de um lado para o outro, com ambas as pessoas se revezando e compartilhando pensamentos e sentimentos. Às vezes, um diálogo pode não ser apropriado em uma sala de aula, mas, em outros momentos, é obrigatório.

Imagine pedir a um de seus alunos para vir falar com você depois da aula sobre um problema com os seus estudos. Essa é a hora para a conversa "partida de tênis". Ou talvez durante uma excursão, quando você tem a oportunidade de passar um tempo com os alunos? Nas reuniões de classe, os alunos aprendem a se revezar e a ouvir o que os outros têm a dizer.

Você pode usar as dinâmicas de grupo para ensinar habilidades de comunicação para seus alunos. Muitos alunos se divertem aprendendo com as três atividades a seguir.

ATIVIDADE: HABILIDADES DE ESCUTA 1

OBJETIVO

Ensinar habilidades de escuta eficazes.

COMENTÁRIO

Muitas vezes é mais fácil falar do que ser um bom ouvinte. Desenvolver boas habilidades de escuta requer prática.

INSTRUÇÕES

1. Peça para todos os seus alunos trabalharem em pares. Escolha um tema como "a minha comida favorita para o jantar" ou "o que eu gosto sobre a escola" ou "o que eu não gosto sobre a escola". Diga a seus alunos para falarem sobre o assunto, todos ao mesmo tempo.
2. Faça um sinal para eles pararem e, em seguida, pergunte quantos deles sentiram que foram ouvidos. Uma discussão animada pode surgir enquanto os alunos expressam o que estavam sentindo, aprendendo ou decidindo fazer.
3. Pergunte aos alunos o que eles poderiam fazer para resolver o problema de todos falarem ao mesmo tempo. O que eles precisam fazer para serem bons ouvintes?
4. Registre todas as ideias deles em um cartaz com o título: "As boas habilidades de escuta". Ele pode se parecer com este (mas é importante que os seus alunos criem seu próprio cartaz):
   - Use o contato visual. (Não deixe seus olhos vaguearem.)
   - Não interrompa.
   - Balance a cabeça de vez em quando para indicar que você está ouvindo.
   - Demonstre estar interessado e curioso sobre o que a outra pessoa tem a dizer.
   - Dê toda sua atenção à pessoa que está falando.
5. Pendure o cartaz na sala. Mais tarde, se os alunos não usarem boas habilidades de escuta, consulte o cartaz para achar algo que eles poderiam fazer para melhorar.

ATIVIDADE: HABILIDADES DE ESCUTA 2

INSTRUÇÕES

1. Peça aos alunos para trabalharem em pares. Primeiro, um aluno conta ao outro sobre um programa de TV favorito, enquanto o outro se recusa a fazer contato visual. Em seguida, aquele que está ouvindo se levanta e vai embora, enquanto o outro ainda está falando.
2. Peça aos alunos para compartilharem os seus pensamentos, sentimentos e decisões sobre a sua experiência. Peça aos que estavam agindo de forma "rude", mesmo estando apenas representando papéis, para se desculparem por não terem sido bons ouvintes e para tentarem novamente. Essa é uma boa prática para os alunos aprenderem que não há problema em cometer um erro, corrigi-lo e tentar novamente. Isso também ajudará a pessoa que se sentiu menosprezada a querer cooperar com a próxima parte da atividade.
3. Em primeiro lugar, o aluno falante de cada par conta novamente ao seu parceiro ou parceira sobre um programa de TV favorito. Dessa vez, seguindo as suas instruções, o parceiro ouve com atenção e usa contato visual e linguagem corporal que mostra interesse, como se inclinar para a frente.
4. Reflita sobre a atividade novamente considerando os pensamentos, sentimentos e decisões de ambos os alunos com base nessa experiência.

COMENTÁRIO

Embora seja apenas uma dramatização, a parte desalentadora desta atividade pode deixar os alunos com sentimentos de desencorajamento.

Conforme os alunos expressam o que aprenderam com essas atividades, você descobrirá que todos estão captando a essência sobre habilidades de escuta fracas. Discuta com os alunos como a qualidade das habilidades de escuta se relaciona com o sucesso da reunião de classe – e o sucesso na vida.

ATIVIDADE: FRASES QUE COMEÇAM COM "EU"

OBJETIVO

A comunicação melhora quando você fala sobre o que está acontecendo dentro de você em vez de analisar os outros. Esta atividade ajuda a nomear seus sentimentos e compartilhá-los abertamente com os outros, melhorando a comunicação ao seu redor.

INSTRUÇÕES

1. Parte da boa comunicação é utilizar frases que começam com "eu". Peça aos alunos para praticarem essas frases pensando em um momento em que eles se sentiram muito felizes.
2. Peça aos alunos para preencherem os espaços em branco da seguinte frase: "Eu me senti feliz quando _____, e eu desejo _____."
3. Então, peça para os alunos pensarem em um momento em que eles estavam com raiva e preencherem os espaços em branco da seguinte frase: "Eu senti raiva quando _____, e eu desejo _____."

COMENTÁRIO

Sentimentos geralmente podem ser expressos em uma palavra. Você pode pedir que os alunos façam uma lista de sentimentos, tais como feliz, bravo, envergonhado, amedrontado, triste, animado, e assim por diante, ou consultem o quadro dos sentimentos para praticar.

Assim que seus alunos aprendem a habilidade de usar frases que começam com "eu", eles passam a ter um ponto de referência para quando a comunicação é interrompida. Por exemplo, se você acha que um aluno está se comunicando de forma a culpar ou julgar alguém, você pode pedir a ele: "Você estaria disposto a tentar de novo usando uma frase que começa com 'eu' ou você gostaria da ajuda da classe?" Se o aluno quiser ajuda, deixe-o escolher uma sugestão de alguém cuja mão está levantada.

Habilidades de comunicação respeitosas

EXPRESSÕES DE SENTIMENTOS DA DISCIPLINA POSITIVA

7
FOCANDO EM SOLUÇÕES

Não há doenças geradas pela democracia que não possam ser curadas com mais democracia.

Rudolf Dreikurs

Você consegue imaginar como a sua sala de aula seria se todos os seus alunos focassem em soluções? Ou ainda, você consegue imaginar como o mundo seria se todos focassem em soluções? Nós teríamos a paz no mundo. Mas muitos alunos estão tão acostumados com punição que eles já aceitaram que, de fato, essa é a maneira que as coisas devem ser feitas. A atividade a seguir os ajudará a pensar mais profundamente e a chegar a diferentes conclusões.

VOCÊ TEM DE SE SENTIR PIOR PARA AGIR MELHOR?

Peça a um voluntário para fazer o seguinte pôster de forma a ajudar a turma a se lembrar de que encorajamento é mais efetivo do que punição:

> DE ONDE TIRAMOS A IDEIA ABSURDA DE QUE, PARA LEVAR AS PESSSOAS A AGIREM MELHOR, ANTES PRECISAMOS FAZÊ-LAS SE SENTIREM PIOR? AS PESSOAS AGEM MELHOR QUANDO SE SENTEM MELHOR.

Pergunte aos seus alunos se eles se lembram de um momento em que alguém estava tentando incentivá-los a melhorar fazendo com que se sentissem ainda pior. Distribua folhas de papel com os três títulos seguintes: "MINHA PUNIÇÃO", "O QUE DECIDI SOBRE MIM E/OU SOBRE OS OUTROS" e "O QUE DECIDI FAZER".

Então, peça aos alunos que façam uma lista de tudo que lembrarem sob o título MINHA PUNIÇÃO. Algumas possibilidades incluem: ficar de castigo, apanhar, ser repreendido e ter todos os privilégios removidos – peça que eles adicionem qualquer uma dessas punições se eles tiverem passado por isso. Peça a eles que se lembrem exatamente do que aconteceu, como se estivessem revivendo o momento, e que se recordem de como se sentiram.

Peça que preencham as colunas logo abaixo dos títulos: O QUE DECIDI SOBRE MIM E/OU SOBRE OS OUTROS e O QUE DECIDI FAZER.

MINHA PUNIÇÃO	O QUE DECIDI SOBRE MIM E/OU SOBRE OS OUTROS	O QUE DECIDI FAZER
Ficar na sala depois do sinal	O professor é um idiota.	Ficar na sala e fingir fazer minha tarefa.
Ligar para os meus pais	Estou em apuros. Preciso pensar em um jeito de sair daqui.	Dizer aos meus pais que o professor mentiu.
Escrever frases	Isso é chato e tedioso. Melhor eu não ser pego da próxima vez.	Escrever logo essas frases e depois fazer o que eu quero.
Colocar meu nome na lousa	Não me importo.	Vivenciar a punição, mas não mudar de fato meu comportamento.
Receber um cartão vermelho	Sou maldoso.	Desistir, já que sou uma pessoa má.

Compartilhe o seguinte exemplo com seus alunos. Pergunte: "Quantos de vocês acreditam que o aluno dessa tabela decidirá que ele será mais responsável e cooperativo no futuro? Que outras decisões vocês acham que esse aluno tomará no futuro?"

Convide seus alunos para compartilharem suas respostas às mesmas perguntas. Então, pergunte o que eles aprenderam com essa atividade. Pergunte se eles estão dispostos a aprender maneiras mais respeitosas de ajudar uns aos outros a melhorarem seus comportamentos – maneiras que não envolvam punição. Provavelmente poucos alunos irão resistir a esse convite. Diga que eles aprenderão a elaborar soluções que são melhores do que punições – e até melhores do que consequências (que normalmente são punições mal disfarçadas).

Algumas turmas adotaram o lema (e criaram o pôster) que diz: "Não estamos procurando culpados, estamos procurando soluções" e "Qual é o problema? Qual é a solução?" À medida que você oferece mais maneiras para os alunos focarem em soluções, a motivação deles para utilizar esses processos encorajadores também crescerá. Seguem outras seis maneiras de focar em soluções:

OS TRÊS "R" E UM "U" PARA FOCAR EM SOLUÇÕES

Da mesma forma que os alunos precisam de treinamento e prática para aprender habilidades acadêmicas, eles precisam de treinamento e prática para aprender habilidades para resolver problemas. A próxima atividade ajudará:

1. Informe os alunos que, no futuro, seu trabalho será encontrar soluções para resolver problemas desde que não incluam punição.
2. Peça que a turma imagine que uma garota escreveu na mesa de outra aluna. Na lousa, escreva cinco sugestões para resolver esse problema:
   - Mandar a garota se sentar no chão por uma semana.
   - Mandar a garota limpar todas as mesas da sala.
   - Mandar a garota limpar a mesa da aluna enquanto todo mundo fica olhando.
   - Mandar a garota se desculpar.
   - Perguntar à garota se ela gostaria de limpar a mesa da aluna agora ou antes de bater o último sinal do dia.
3. Agora ensine aos alunos os Três "R" e Um "U" para Soluções:
   - Relacionadas ao problema
   - Respeitosas
   - Razoáveis
   - Úteis
4. Mostre aos alunos as seguintes definições:
   - **Relacionada ao problema:** A solução deve estar diretamente relacionada ao comportamento. Por exemplo, suponha que alguns alunos não fizeram seu dever de casa. Mandá-los para a diretoria não está relacionado à lição. Uma solução que está relacionada a este comportamento seria dar uma outra chance para fazer a lição ou não receber crédito pela lição não feita.
   - **Respeitosa:** Seja qual for a solução, professores e alunos devem manter uma atitude respeitosa no jeito de agir e no tom de voz. Os professores também devem acompanhar o desfecho da solução com dig-

nidade e respeito. "Você gostaria de compensar fazendo a lição durante o intervalo ou depois do sinal da escola?". Isso também implica que os alunos já sabem com antecedência o que vai acontecer se eles cometerem um erro. Quando as crianças sabem o que acontecerá com antecedência, isso passa a ser a escolha delas. Quando elas não estão cientes, a consequência torna-se arbitrária e controlada pelo professor, deixando-as à mercê do professor.

- **Razoável:** A solução deve ser razoável – não acrescente punição. Por exemplo, não diga algo do tipo: "Agora você terá que fazer em dobro" ou "Agora eu terei que mandar um bilhetinho para seus pais e vou sugerir que eles tirem seus privilégios em casa também."
- **Útil:** A solução deve ajudar o aluno a fazer o seu melhor. Ela deve ajudar a resolver o problema.

5. Releia a lista de sugestões sobre a garota que escreveu na mesa da outra aluna. Para cada sugestão, peça aos alunos que levantem as mãos para responder à seguinte pergunta: "Quantos de vocês acham que essa sugestão é relacionada ao problema, respeitosa, razoável e útil?" Risque as sugestões que não seguem o critério de Três "R" e Um "U" para Soluções. Saliente que, quando a solução segue todos os critérios, provavelmente será uma boa alternativa à punição.

Uma vez que os alunos elaboraram sugestões para o problema, é extremamente importante permitir que o aluno em questão escolha a solução que ele acha que será a mais útil. Isso incentiva o engajamento para florescer em um ambiente seguro.

OS QUATRO PASSOS PARA RESOLUÇÃO DE PROBLEMAS

Estes quatro passos proporcionam um processo e um guia adicional que auxilia os alunos a se manterem no caminho enquanto procuram por soluções de problemas. Comece falando sobre os Quatro Passos para Resolução de Problemas com seus alunos.

1. Ignore o problema (afastar-se demanda mais coragem do que ficar e confrontar, brigar ou discutir).

- Escolha outra coisa para fazer (encontre outro jogo ou atividade).
- Afaste-se por tempo suficiente para esfriar a cabeça e, depois, continue com os próximos passos.
2. Converse sobre isso de forma respeitosa.
    - Diga à outra pessoa como você se sente e que você não gosta do que está acontecendo.
    - Escute o que a outra pessoa está dizendo sobre como ela se sente e o que ela não gosta.
    - Fale, em sua opinião, o que você fez para contribuir para o problema.
    - Diga à outra pessoa o que está disposto a fazer de forma diferente da próxima vez.
3. Cheguem a um acordo sobre a solução. Por exemplo:
    - Façam um plano para compartilhar ou cada um ter a sua vez.
    - Encontrem maneiras de fazer as pazes.
    - Encontrem maneiras de consertar os estragos.
4. Se vocês não conseguem se entender, peçam ajuda.
    - Coloquem o problema na pauta da reunião de classe.
    - Fale sobre o assunto com seus pais, professores ou amigos.

Abra espaço para os seus alunos encenarem uma possível solução. Deixe que eles resolvam a situação de quatro maneiras diferentes (uma para cada passo do processo).

- Brigando sobre de quem é a vez de usar a bola.
- Empurrando os outros enquanto está na fila.
- Xingando.
- Brigando sobre de quem é a vez de sentar perto da janela no ônibus ou no carro.

Após ensinar os Quatro Passos para Resolução de Problemas, pergunte quem gostaria de ser o voluntário para fazer o pôster do passo a passo do processo. Uma vez pronto, pendure em um lugar visível para que os alunos possam usar como referência. Alguns professores fizeram cartões plastificados em um tamanho que cabe no bolso, a fim de que seus alunos pudessem carregar e usar conforme necessário. Uma escola pintou os Quatro Passos para Resolução de Problemas no "banco da resolução de problemas" no parquinho.

A sra. Underwood permite que seus alunos saiam da sala a qualquer momento para usarem os Passos para Resolução de Problemas. Frequentemente, ela observa dois alunos saírem da sala e sentarem para conversar perto da grade. Depois de alguns minutos, eles voltam para a sala e continuam seu trabalho normalmente.

A CESTA DE CARTAS COM FERRAMENTAS DE DISCIPLINA

Alguns professores se sentem desconfortáveis quando promovemos o foco em soluções em vez de punições e recompensas. Eles questionam: "Que outras opções eu tenho além dessas?"

Como você já percebeu, este livro está cheio de alternativas. Outra alternativa que foca em soluções é o baralho de Cartas com Ferramentas de Disciplina Positiva. Aqui estão alguns exemplos:

Pausa positiva	Foco nas soluções	Roda de Escolha da Raiva
As pessoas **agem** melhor quando se **sentem** melhor. A pausa positiva nos ajuda a esfriar a cabeça e a nos sentir melhor. 1. Crie, **com** as crianças, um espaço para a pausa positiva. Deixe que elas decidam como vai ser o lugar e o que haverá lá. 2. Deixe que elas escolham um nome especial para esse espaço. 3. Quando elas estiverem descontroladas, pergunte: "Você acha que ajudaria ir para o seu espaço____?" 4. Dê o exemplo indo para o seu espaço se acalmar quando estiver triste.	Em vez de focar em culpa, foque em soluções. Identifique o problema. Elabore o maior número de soluções possíveis. Escolha uma solução com que todos concordem. Teste a solução por uma semana. Em uma semana, avalie. Se não funcionou, volte ao primeiro passo.	Ensine às crianças que, embora os sentimentos sejam sempre aceitáveis, algumas ações não são. Quando a criança estiver calma, mostre a Roda de Escolha da Raiva e leia as alternativas respeitosas para expressar raiva. Quando a criança estiver irritada, valide seus sentimentos e ofereça escolhas: "O que ajudaria agora, uma pausa positiva ou a Roda de Escolha?"

Esse baralho de cartas foi desenvolvido especialmente para pais e crianças usarem em casa, mas a maioria delas é igualmente efetiva na sala de aula. O baralho pode ser adquirido (em inglês) pelo *site*: www.positivediscipline.com.

Você pode até escolher as cartas do baralho que representam uma solução que poderia ser aplicada na sua sala de aula e colocá-las em uma cesta. Quando os alunos tiverem um problema, uma das suas escolhas é ir até a cesta e aleatoriamente escolher uma carta para ver se a solução funcionaria. Eles podem tirar até três cartas e escolher a melhor delas em sua opinião.

Para se certificar de que os alunos entenderam todas as soluções propostas nas cartas, uma vez por semana peça aos alunos que peguem uma carta e tragam para o círculo para ser discutida. Peça a todos que expressem o que compreenderam sobre a carta. Se as crianças precisarem de esclarecimento, explique e dê vários exemplos para que elas possam encenar. Quanto mais habilidade para resolver problemas as crianças tiverem, menos tempo você terá de dedicar resolvendo os problemas para eles.

A RODA DE ESCOLHA

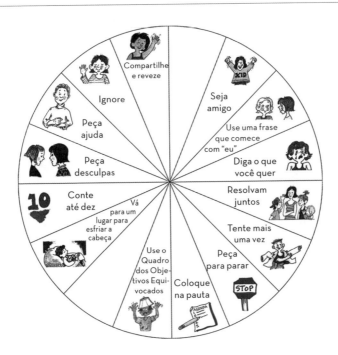

A Roda de Escolha, conforme a figura anterior, é uma outra maneira de empoderar as crianças a resolver seus próprios problemas em vez de colocar pressão no professor para ser o único solucionador de problemas. Cada uma das fatias na Roda de Escolha se refere a uma habilidade para resolver problemas que as crianças podem aprender e usar. No processo, elas têm alternativas aos métodos desrespeitosos. As habilidades na Roda de Escolha oferecem uma base para desenvolver respeito pelos outros, cooperação e confiança em suas próprias capacidades.

Desde que *Disciplina Positiva em Sala de Aula* foi publicado pela primeira vez em inglês, muitos professores adoraram usar a Roda de Escolha em suas salas de aula – sem a necessidade de preparar uma aula específica. Afinal, não é verdade que todos os alunos já sabem fazer algo tão simples como contar até dez para se acalmarem, ou compartilhar e revezar? Eles sabem até certo ponto e a Roda de Escolha tem sido muito efetiva. Contudo, os professores que ajudaram a criar 14 aulas para a versão atualizada da Roda de Escolha (figura anterior) descobriram que a efetividade aumentou significativamente quando os alunos estavam envolvidos em atividades nas quais pudessem praticar essas habilidades e ganhar um entendimento profundo dessas escolhas.

Depois que os alunos praticam as habilidades, eles colorem a fatia equivalente para criar a sua Roda de Escolha individual. Todas as 14 atividades estão disponíveis (em inglês) no *site* www.positivediscipline.com. A atividade a seguir é sobre "pedir desculpas".

ATIVIDADE: PEDIR DESCULPAS

OBJETIVO

Ensinar às crianças como pedir desculpas de forma sincera.

MATERIAL

Giz de cera ou canetinha para colorir a Roda de Escolha individual

COMENTÁRIO

Às vezes, quando erra, tem de consertar o seu erro dentro do possível e, quando não for possível, você deve ao menos pedir desculpas. Pedir desculpas cria uma conexão, de modo que as pessoas ficam dispostas a procurar soluções.

INSTRUÇÕES

1. Ensine que errar é menos importante do que o que se faz depois de errar. Qualquer um pode cometer um erro, mas é preciso que a pessoa esteja segura para pedir desculpas e consertar o seu erro, dentro do possível.
2. Peça às crianças que se lembrem de um momento em que elas se sentiram magoadas com uma pessoa que pediu desculpas de maneira falsa, em que ela não fazia questão de ser desculpada.
3. Na sala, peça aos alunos que façam duplas e peçam desculpas em um tom falso. Depois, peça que invertam os papéis, de modo que cada um possa dar e receber o falso pedido de desculpas.
4. Seja um exemplo de como pedir desculpas de maneira sincera seguindo estes três passos:
   - Perceba
   - Fale
   - Resolva

   Exemplo: "Eu notei que peguei um lápis que era seu [perceba]. Me desculpe [fale]. Aqui está, pegue um dos meus lápis [resolva]."
5. Dê a oportunidade para os alunos praticarem desculpas sinceras.
6. Reagrupem-se e convide os alunos a falarem o que sentiram.
7. Lembre seus alunos de que eles podem reconhecer seus erros com um sentimento de responsabilidade em vez de culpa.
8. Dê um tempo para seus alunos colorirem a fatia "Peça desculpas" em suas Rodas de Escolha individuais.

A Roda de Escolha pode ser usada de diversas maneiras. Cada aluno pode ter uma cópia em sua mesa, ou você pode pendurar um grande pôster na parede da sala. Algumas escolas penduram uma cópia tão grande da Roda de Escolha que dá para ver do parquinho. Os supervisores que circulam pelo parquinho podem carregar uma pequena cópia plastificada, podendo interceder ao mostrar a roda para os alunos que estão em conflito e pedir a eles que escolham uma solução que gostariam de tentar.

Uma maneira divertida de distrair os alunos que estão muito afetados com o problema é transformar a situação em um jogo. Adicione uma peça giratória e peça aos alunos que girem a roda e vejam se a solução onde a roda vai parar funcionaria para eles. Se a solução não for apropriada, eles podem escolher outra que funcione para eles, ou podem continuar girando até que pare em uma solução de que gostem.

Tammy Keces, uma professora do primeiro ano, pediu a seus alunos que escolhessem suas quatro soluções favoritas da Roda de Escolha e as usassem para fazer seu próprio móbile. Seus alunos criaram e coloriram desenhos de si mesmos no topo do móbile e penduraram, em seus autorretratos, suas quatro soluções favoritas.

Os móbiles foram pendurados em cima de suas mesas para que eles pudessem olhar para cima e se lembrar de suas habilidades para resolver problemas.

A MESA DA PAZ

Ter a Mesa da Paz, um espaço dentro da sala de aula onde alunos que estão em conflito podem se sentar sem interrupção para acertar as diferenças, é um outro lembrete da importância de focar em soluções que são respeitosas e úteis para todos. Alguns professores oferecem a Mesa da Paz sem nenhuma regra. As crianças em conflito são incentivadas a sentarem-se à mesa e fazerem o que for possível para ficarem em paz. Alguns podem usar os Três "R" e Um "U" para Soluções, os Quatro Passos para Resolução de Problemas, a cesta de cartas ou a Roda de Escolha. Outros apenas conversam até que se sintam em paz – chegando ou não a uma solução específica. Talvez eles apenas passem a compreender o ponto de vista do outro.

A PAUTA DE REUNIÃO DE CLASSE

Uma vez que a reunião de classe foi estabelecida, pode ser simples intervir em um problema – você apenas precisa sugerir que uma das crianças escreva o problema na pauta (você aprenderá mais sobre o uso da reunião de classe no Cap. 9). Melhor ainda, você pode oferecer uma escolha: "O que mais lhe ajudaria: os Quatro Passos para Resolução de Problemas, a cesta de cartas, a Roda de Escolha, a Mesa da Paz ou a pauta de reunião de classe?" Na verdade, o melhor seria se você oferecesse apenas duas escolhas. Você decide quais são as duas escolhas que lhe parecem mais apropriadas e as oferece.

Os jovens são nossos recursos menos utilizados. Eles têm uma abundância de sabedoria e talento para resolver problemas quando aprendem essa habilidade, o que resulta em muitos benefícios quando eles são envolvidos. Quando os alunos participam da criação de soluções, eles não apenas usam e fortalecem suas habilidades, como também se tornam mais dispostos a manter o acordo porque eles têm autoria no processo. Eles desenvolvem autoconfiança e um senso de conexão quando são ouvidos, levados a sério e valorizados pelas suas contribuições. Ao sentirem-se parte da turma, eles têm menos motivação para se comportarem mal e ficam mais dispostos a buscar soluções para os problemas.

DISCIPLINA POSITIVA EM AÇÃO

Há três anos, adotamos o modelo da Disciplina Positiva no nosso programa extracurricular. Estávamos usando um método de recompensa-punição e descobrimos que ele não estava gerando a atmosfera ideal que queríamos proporcionar. Depois de implementar o modelo da Disciplina Positiva, observamos uma mudança instantânea nas crianças e nos profissionais. Iniciamos com o treinamento da nossa equipe ensinando os princípios básicos como: linguagem corporal, tom de voz e contato visual, e progredimos lentamente para regras na sala de aula, reuniões diárias e pausa positiva. Demandou tempo e consistência para as crianças acreditarem no programa e, quando o fizeram, vimos resultados incríveis.

Três anos depois, a Disciplina Positiva é agora parte essencial das programações com as crianças de todas as idades, de 2 a 18 anos, incluindo nosso programa de verão. Nossos gestores devem ler *Disciplina Positiva em Sala de Aula*, e todos da equipe são treinados sob as práticas de Disciplina Positiva antes de começarem a trabalhar. Todas as salas realizam reuniões diárias, elaboram suas próprias regras e procuram por soluções por meio de tentativa e erro. Nós costumávamos dizer às crianças quais eram as regras e quais seriam as punições. Agora elas criam as suas próprias regras e as seguem com orgulho. Elas se sentem empoderadas e respeitadas. A coisa mais importante que aprendemos com o livro foi que estamos trabalhando na direção da melhoria, e não da perfeição.

Laura Koellmer e Geoff Malyszka,
YMCA, Wilton, Connecticut, Estados Unidos

8
FERRAMENTAS PARA O GERENCIAMENTO DE SALA DE AULA

Nós estamos constantemente encorajando ou desencorajando aqueles ao nosso redor e, com isso, contribuindo materialmente para a sua maior ou menor habilidade para funcionar bem.

Rudolf Dreikurs

Os alunos aprendem melhor tanto as habilidades acadêmicas como as socioemocionais quando o gerenciamento de sala de aula é baseado no respeito mútuo. Este capítulo apresenta 11 ferramentas para garantir que o gerenciamento de sala de aula seja respeitoso durante o dia todo. Tal como acontece com qualquer caixa de ferramentas, nenhuma ferramenta é apropriada para todos os trabalhos; é importante ter uma variedade para escolher a melhor opção.

Uma diretora de escola contou que, quando um professor vinha até ela com uma queixa sobre um aluno, ela abria a edição anterior deste livro no capítulo sobre ferramentas de gerenciamento de sala de aula e percorria os títulos, perguntando qual estratégia da Disciplina Positiva o professor tinha tentado. Isso servia como um lembrete de que há muitas possibilidades para os professores usarem.

ESCOLHAS LIMITADAS

Muitos problemas difíceis parecem mais fáceis de resolver quando as escolhas são apresentadas como soluções. Como professor, você pode ajudar seus alunos a terem sucesso, oferecendo uma escolha adequada entre pelo menos duas soluções aceitáveis. As palavras-chave aqui são *adequadas* e *aceitáveis*.

Muitas vezes, uma escolha não é adequada. Por exemplo, não é adequado dar aos alunos uma escolha sobre se querem aprender a ler, ir à escola, machucar alguém, colocar-se em uma situação perigosa, como subir no telhado, e assim por diante. Outras opções são adequadas, mas limitadas, como: "Você pode ler este livro ou este outro livro" ou "Você pode fazer a sua lição de casa durante o tempo livre ou em casa". "O que iria ajudá-lo mais agora – usar os Quatro Passos para Resolução de Problemas ou a Roda de Escolha?"

Não é adequado oferecer escolhas muito abertas para os alunos mais jovens, como: "Onde você quer se sentar?" ou "O que você quer aprender?". Os alunos mais jovens precisam de opções mais limitadas, como: "Você pode se sentar nesta ou naquela mesa" ou "Nós podemos fazer primeiro a nossa atividade de arte ou a de matemática. Qual você prefere?" Com os alunos mais velhos, você pode dar opções muito mais amplas, porque suas habilidades de tomar decisões e de lidar com as consequências estão geralmente mais desenvolvidas. Com os alunos mais jovens, você pode perguntar: "Você gostaria de escrever uma redação sobre uma borboleta ou uma tartaruga?" Com os alunos mais velhos, você poderia dar uma escolha como: "Você gostaria de uma ou duas semanas para terminar sua redação? Você escolhe o tema."

Uma escolha é aceitável quando você está disposto a aceitar qualquer uma das opções que o aluno escolher. Não ofereça uma escolha que não seja aceitável para você. Quando você oferece uma escolha, se o aluno escolhe algo completamente diferente, diga: "Essa não é uma opção. Tente mais uma vez."

FUNÇÕES NA SALA DE AULA

Atribuir funções na sala de aula – dando aos alunos oportunidades de contribuir de maneira significativa – é um dos melhores métodos para ajudá-los a sentir aceitação e importância. Realizar essas funções dá aos alunos a satisfação da contribuição e os professores não têm de fazer tudo!

Uma maneira simples de atribuir funções em sala de aula é fazer o levantamento de funções suficientes para que cada aluno tenha uma. Uma das funções poderia ser a do monitor das funções, a pessoa que verifica a lista a cada dia para ver se cada função está sendo feita. Se o trabalho não tem sido feito, é responsabilidade do monitor lembrar o aluno que esqueceu.

Coloque a lista de funções em um quadro e pendure-o em um lugar conveniente. Sua lista pode incluir o seguinte:

Fazer quadro de funções
Distribuir papéis
Regar as plantas
Decorar o quadro de avisos
Endireitar as estantes de livros
Ser o monitor da fila
Esvaziar o apontador de lápis
Ser o anfitrião que recebe todos na porta
Recolher papéis

Alimentar os peixes
Checar as mensagens da administração
Decorar a sala
Repor o estoque
Ser o monitor da limpeza
Ser o monitor do refeitório
Ser o monitor dos equipamentos do parquinho

Uma boa ideia é criar um sistema de rodízio e mudar as funções a cada semana. Às vezes, os alunos preferem manter a mesma função pelo semestre todo. Essa é uma boa opção se todos concordarem. Se uma pessoa tiver uma função favorita por longos períodos, você pode ter um motim.

Você pode querer reservar uma parte de cada dia para dar tempo de realizar as funções, de modo que os alunos não perturbem ninguém ao fazer suas tarefas. Alguns trabalhos necessitam de treinamento, então invista tempo para mostrar ao aluno onde os suprimentos estão ou como ter sucesso em sua função. No momento de realizar as funções, esteja disponível para ajudar os alunos que necessitem de auxílio.

A turma de Educação Infantil da sra. Petersen listou funções para a hora da limpeza e depois se divertiu pensando em nomes engraçados para cada função. A pessoa que recolhe os pedacinhos de papel debaixo das mesas é chamada de Sr.(a) Limpeza. Cada aluno mantém os livros que está lendo em caixas individuais; a pessoa que arruma essas caixas é chamada de Sr.(a) dos Livros. A pessoa que distribui as lições ou outros itens é chamada de Capitão de Atividades.

A pessoa que verifica se as cadeiras estão arrumadas é chamada de Mestre(a) das Cadeiras. A sra. Petersen relatou: "A sala fica limpa tão rapidamente quando eu digo: 'Hora de limpar a sala'. Há quatro alunos em cada mesa, por isso temos quatro funções para a hora da limpeza. As funções mudam a cada segunda-feira. Se alguém está ausente, a pessoa que fez esse trabalho na semana anterior o faz e cumpre a sua própria função também."

A turma da sra. Traughber montou um quadro de funções elaborado. Os alunos usaram papel para fazer "bolsos" para cada função. Em seguida, cada aluno fez um cartão com seu nome escrito nele. A primeira tarefa do monitor de funções foi revezar os cartões com os nomes nos "bolsos" das funções.

A sra. Larsen, uma professora de artes do Ensino Médio, teve de faltar dois dias na escola para participar de um *workshop*. Ela escolheu um caminho diferente para definir os trabalhos da sala de aula durante sua ausência. No dia anterior à sua partida, ela perguntou aos alunos se eles preferiam que o professor substituto mostrasse filmes ou que os alunos dessem a aula, eles mesmos, usando o plano de aula da professora. A turma estava trabalhando em um mural para a escola, e os alunos queriam terminar no prazo. Muitos deles se ofereceram para fazer as atividades necessárias. Quando a sra. Larsen voltou de seu curso, ela viu um bilhete do professor substituto dizendo que os alunos tinham sido bem comportados, focados na tarefa e excelentes professores.

AJA SEM FALAR

Você pode agir em vez de falar. Ouça a si mesmo por um dia. Você ficará surpreso ao observar quantas palavras inúteis você usa. Se você decidir agir mais e falar menos, seus alunos vão notar a diferença. Em vez de pedir várias vezes para a classe ficar quieta, espere em silêncio até que eles lhe deem atenção. Apague a luz se ficar muito barulhento.

Uma professora sempre falava para seus alunos ficarem longe da lousa quando entrassem na sala. Ela tentou algo diferente: entrou na sala sem falar nada e gentilmente foi retirando o giz das mãos dos alunos e encaminhando cada um para seu lugar. Os alunos ficaram tão surpresos que se sentaram imediatamente e começaram a trabalhar. Ela ficou quase tão surpresa quanto eles. A professora aprendeu a parar de falar coisas que sabia que não iria cumprir. Se ela realmente falasse algo que fosse cumprir, ela estaria preparada para agir sem ter de falar nada. Como isso demandava atenção total do começo ao final do problema, ela começou a ignorar as pequenas interrupções e começou a lidar com aquelas que eram mais importantes.

Quando as crianças são pequenas (idade pré-escolar a 8 anos), cumprir com o que se diz é relativamente simples. Quando você diz algo, mostre que você realmente acredita. Quando você fala sério, cumpra com o que disse com gentileza e firmeza. Ou como Dreikurs costumava dizer aos pais e professores: "Não fale nada e aja".

A sra. Valdez estava habituada a persuadir Jennifer a guardar seus brinquedos e ir para a roda de leitura. Depois de aprender sobre acompanhamento, ela decidiu fazer algo diferente. No dia seguinte, na hora da leitura, ela foi até a Jennifer, tomou-a pela mão e, com gentileza e firmeza, levou-a para a roda. Depois, pouco antes do intervalo, ela perguntou à aluna: "O que você precisa fazer para ficar pronta para o intervalo?" Jennifer disse inocentemente: "Eu não sei." A sra. Valdez simplesmente apontou para os blocos. Jennifer foi até os blocos e ficou enrolando. Ela tinha recolhido cerca de metade dos blocos quando o sinal do intervalo tocou. A sra. Valdez parou-a na porta, levou-a de volta para a área dos blocos e apontou para os blocos. Jennifer pegou os blocos o mais rápido possível para não perder mais nenhum minuto do intervalo. Jennifer aprendeu que suas táticas de manipulação não eram mais eficazes. A sra. Valdez aprendeu como é muito mais fácil e eficaz usar poucas palavras do que usar sermões, ameaças e punições.

Se você acha que seus alunos não vão cooperar tão facilmente como a Jennifer, não desanime. Se você seguir os Quatro Passos para um Acompanhamento Eficaz e evitar as Quatro Armadilhas que Atrapalham um Acompanhamento Eficaz, os alunos irão cooperar, mesmo quando eles não quiserem. Eles parecem compreender que o que está sendo pedido é razoável e que eles estão sendo tratados de forma respeitosa.

À medida que as crianças crescem, fazê-las cumprir com o acordo é mais eficaz se elas forem envolvidas no processo de fazer acordos. Os Quatros Passos para um Acompanhamento Eficaz descrevem o processo.

Os Quatros Passos para um Acompanhamento Eficaz

1. Tenha uma conversa amigável, na qual todos possam expressar seus sentimentos e pensamentos sobre um problema (durante uma reunião de classe ou durante uma conferência com um ou mais alunos).
2. Levante possíveis soluções e, em seguida, escolha aquela com a qual professor e alunos concordem.
3. Combinem um prazo específico (com dia e horário exatos).
4. Conheça seus alunos o suficiente para saber que o prazo pode não ser cumprido. Cumpra com a sua parte do acordo ao lembrá-los do que eles se comprometeram a fazer, assim como a sra. Valdez fez com Jennifer.

As Quatro Armadilhas que Atrapalham um Acompanhamento Eficaz

1. Esperar que os alunos tenham as mesmas prioridades que os adultos.
2. Julgar e criticar em vez de focar no assunto.
3. Não estabelecer acordos com antecedência sobre prazos ou ações específicas que o professor fará.
4. Usar palavras em vez de ações.

A sra. Lockner, uma professora de dança do Ensino Médio, disse a seus alunos no primeiro dia de aula que eles poderiam dançar descalços ou com sapatilhas. Uma discussão acalorada teve início – as meninas questionaram o porquê de não poderem utilizar meias ou tênis. A sra. Lockner explicou as razões para a sua escolha, que tinham a ver com segurança. Ela entendeu que as meninas não queriam ficar descalças e percebeu que as sapatilhas eram caras, mas ela disse que, a menos que as meninas estivessem com o traje adequado, elas não estavam autorizadas a dançar.

Naturalmente, durante a primeira semana de aula, muitas meninas se esqueceram de trazer suas sapatilhas e se queixaram de ter de dançar descalças. A sra. Lockner ajudou as meninas a cumprir o acordo ao perguntar empaticamente "Qual foi o nosso acordo?" Ela continuou a sorrir sem dizer uma palavra, enquanto as meninas argumentavam, imploravam e a bajulavam para que ela permitisse que dançassem de tênis. Como ela se recusou a participar dessa discussão, as meninas tiraram seus tênis e meias e dançaram com os pés descalços, sem reclamar.

Fazer o acompanhamento é uma forma gentil de orientar os alunos a fazer o que precisa ser feito para seu benefício maior ou para manter o respeito por si mesmo e pelos outros. Criar e educar crianças não é fácil. Usar o acompanhamento pode tornar isso mais fácil – e gratificante também.

Alguns professores se opõem ao uso do acompanhamento, dizendo: "Nós não queremos ter de monitorar os alunos para manter seus acordos. Nós esperamos que eles sejam responsáveis, sem qualquer esforço da nossa parte." Temos quatro perguntas para esses professores:

1. Quando você não reserva um tempo para reforçar o combinado com dignidade e respeito, você gasta tempo dando broncas, sermões e punições porque os alunos não mantiveram seus acordos?

2. Você já reparou como as crianças são responsáveis com relação a acordos que são importantes para elas?
3. Você não prefere fazer algo que é uma prioridade para você do que algo que você não quer fazer?
4. O que o motiva a fazer coisas que você não quer fazer – respeito pelos outros ou desrespeito? (Mesmo que recolher os blocos não fosse a prioridade de Jennifer, era importante que ela o fizesse.)

Usar o acompanhamento gasta menos energia e é muito mais divertido e produtivo do que dar broncas, sermões e punições. Ele ajuda os professores a serem proativos e atenciosos em vez de reativos e arrogantes. Ele pode ajudá-lo a empoderar seus alunos respeitando quem eles são, enquanto ensina a importância de contribuir na sala de aula. É uma excelente alternativa tanto para métodos autoritários como para permissivos. Com o acompanhamento, você pode satisfazer as necessidades da situação, mantendo a dignidade e o respeito por todos os envolvidos. O acompanhamento é uma maneira de ajudar as crianças a aprenderem as habilidades de vida necessárias para se sentirem bem sobre si mesmas, enquanto aprendem a ser membros que contribuem com a sociedade.

PERGUNTAS QUE ESTIMULAM A CURIOSIDADE

Muitos professores dizem aos alunos o que aconteceu, o que causou o acontecimento, como eles devem se sentir sobre isso e o que eles devem fazer a respeito. Em vez disso, os professores deveriam perguntar aos alunos:

O que aconteceu?
Como você se sente sobre isso?
O que você acha que causou isso?
Como os outros foram envolvidos?
Que ideias você tem para resolver o problema?

Esses são alguns exemplos de possíveis perguntas e não devem ser usados como um roteiro – pois soaria falso. Você pode fazer perguntas que estimulam a curiosidade de muitas formas (específicas para você) e em muitas situações.

Uma professora de oitavo ano queria reorganizar sua sala de aula. Ela começou a dizer aos alunos o que fazer e, de repente, percebeu que essa seria uma ótima oportunidade para que os alunos pensassem por si mesmos. Ela perguntou: "Que ideias vocês têm sobre como podemos organizar a sala para que todos possam ver uns aos outros?" Cinco ou seis alunos deram sugestões, e a classe escolheu uma delas por meio de votação.

Pela força do hábito, a professora começou a instruir todos sobre o que fazer e percebeu mais uma vez que ela poderia perguntar, em vez de dizer. Demorou muito mais tempo do que o habitual para reorganizar a sala, mas as crianças praticaram raciocínio e envolvimento ativo. Embora ela estivesse ciente de como é difícil quebrar o hábito de dar todas as instruções em vez de fazer perguntas, a professora decidiu que valia a pena. Seus alunos se tornaram mais engajados do que o habitual, e todos eles ajudaram a reorganizar a sala em vez de deixar o trabalho para os de sempre.

Quando você manda em vez de perguntar, você desestimula os alunos a desenvolver suas habilidades de julgamento, consequências e comprometimento. Você perde a chance de dar a eles o valioso presente de ver erros como oportunidades para aprender. Dizer em vez de perguntar também ensina aos alunos o que pensar, em vez de como pensar, o que é muito perigoso em uma sociedade repleta de pressão de grupo, cultos e gangues. Sempre que você se sentir tentado a mandar, pare e formule uma pergunta.

Normalmente, perguntas respeitosas estimulam a cooperação. Como a maioria dos adultos tem mais experiência em mandar do que perguntar, a atividade a seguir ajudará na prática de fazer perguntas do tipo "o que" e "como". Você pode experimentar essa atividade durante uma reunião de professores.

ATIVIDADE: PERGUNTAS DO TIPO "O QUE" E "COMO"

OBJETIVO

Compreender que é mais eficaz ajudar os alunos a aprender com as suas experiências do que dar sermão ou puni-los.

COMENTÁRIO

Educação vem da palavra latina *educare*, que significa "extrair". Muitas vezes, os adultos tentam "enfiar goela abaixo" por meio de sermões, depois se perguntam por que os alunos ficam desatentos em vez de aprender.

INSTRUÇÕES

1. Peça aos participantes para formarem pares e sentarem-se em cadeiras de frente um para o outro.
2. Peça a eles que se revezem nos papéis de "aluno" e "professor" (de um a dois minutos cada).
3. O "professor" começa mencionando um comportamento que ele notou (tal como não entregar uma lição) e evita a tentação de dar um sermão. Em vez disso, ele faz perguntas do tipo "o que" e "como". Dê os seguintes exemplos:
Estou vendo que você não entregou sua lição. *O que* aconteceu? (Ouça.)
O que você acha que causou isso? (Ouça.)
Como você se sente com relação ao que aconteceu? (Ouça.)
Que efeito você acha que isso pode ter tido sobre os outros? (Ouça.)
O que você aprendeu com essa experiência? (Ouça.)
Como você planeja resolver o problema? ou Quais são as suas ideias para impedir que isso aconteça no futuro? (Ouça.)
Como posso ajudar? (Ouça.)

É importante que você continue ouvindo seus alunos. Muitas vezes, os professores ficam tentados a interromper e começar a dar sermão sobre algo que um aluno disse. Isso leva o aluno a parar de aprender, a ficar na defensiva e a não demonstrar interesse.

Geralmente, os alunos dizem "eu não sei" porque eles aprenderam que têm o direito contra a autoincriminação. Pode ser útil dizer: "Eu confio em você e sei que você pode resolver isso. Voltamos a conversar em dez minutos (ou amanhã de manhã)." Certifique-se de definir quando você vai continuar a discussão e cumpra esse prazo.

Alguns diretores escreveram as perguntas dessa atividade em folhas de papel. Quando um aluno é mandado para sua sala, eles dão um tempo para o aluno refletir sobre o que aconteceu respondendo as perguntas por escrito. Em seguida, diretor e aluno podem usar as respostas como base para a discussão e a resolução do problema.

Atenção: não pergunte quais são as percepções dos seus alunos, a menos que você esteja realmente interessado nelas e queira ajudá-los a aprender a pensar e resolver problemas. Nunca dê um sermão depois de uma resposta. Se os alunos disserem que eles estavam irritados porque eles não tiveram vez, não é adequado dizer a eles que deveriam ser mais pacientes. Ouça educadamente ou continue a fazer perguntas que convidem os alunos a tirarem suas próprias conclusões.

PERGUNTAS DE REDIRECIONAMENTO

Uma das melhores maneiras de redirecionar o comportamento é fazer perguntas relacionadas ao comportamento que você gostaria que mudasse. Por exemplo, se a turma estiver muito barulhenta, pergunte: "Quantos de vocês acham que está muito barulhento aqui para que a gente consiga se concentrar? Quantos acham que não está barulhento?" É importante fazer perguntas para as duas situações, a fim de dar espaço para respostas honestas. Muitos professores que usam a Disciplina Positiva criaram uma série de sinais com as mãos que os alunos podem usar para perguntas como essa, como: polegares para cima; polegares para baixo; mãos espalmadas, uma mão cruzada sobre a outra, significando "eu não sei".

Fazer perguntas costuma ser o suficiente para convidar os alunos a pensar sobre o seu comportamento e o que precisa ser feito. Quando uma atmosfera de respeito mútuo é estabelecida, os alunos geralmente querem cooperar. A pergunta simplesmente os ajuda a se tornarem conscientes do que é necessário.

Faça a pergunta enquanto os alunos estão trabalhando. Não é necessário iniciar uma discussão. É interessante observar o quanto a situação melhora apenas fazendo uma pergunta de redirecionamento. Nós observamos um professor usando uma variação criativa de uma pergunta de redirecionamento, parando a aula no meio de uma atividade e dizendo: "Eu tenho que perguntar, quantos de vocês querem ajudar o José com a tabuada? José, olhe para todas essas mãos! Escolha alguém para ajudá-lo a praticar a tabuada do sete."

NÃO FAZER NADA (CONSEQUÊNCIAS NATURAIS)

Surpreendentemente, uma ferramenta eficaz para o gerenciamento de sala de aula, que é respeitosa tanto para professores como para alunos, é não fazer nada e ver o que acontece. Uma professora de matemática do oitavo ano respondia a cada pequena interrupção na sua sala de aula. Ela respondia a todas as perguntas, comentava cada incidente e passava a maior parte de seu tempo de aula apagando incêndios e chegando a lugar nenhum. Quando ela ouviu falar dessa ideia de não fazer nada, ela duvidou. Nunca tinha ocorrido a ela que ela poderia deixar algumas coisas passarem, mas ela decidiu tentar.

Para sua surpresa, os alunos geralmente paravam o comportamento irritante por conta própria ou os colegas pediam para parar. As inúmeras perguntas começaram a desaparecer quando ela parou de responder às que pareciam inadequadas. Depois, ela ouviu um aluno dizendo: "Não pergunte à professora. Ela está tendo um dia ruim. Talvez eu possa responder a essa pergunta."

Quando ela ouviu os alunos ajudando uns aos outros, ela disse: "Eu estou muito feliz de ver quantas coisas vocês conseguem resolver sem eu me envolver. Eu não estou brava com vocês nem estou tendo um dia ruim, mas eu realmente gostaria de reagir menos e ensinar mais. Quem está disposto a me ajudar?" Todos os alunos da turma levantaram as mãos.

DECIDIR O QUE VOCÊ FARÁ

Muitas ferramentas da Disciplina Positiva encorajam o envolvimento dos alunos para ajudá-los a desenvolver cooperação e interesse social. No entanto, às vezes um professor pode decidir o que ele fará (em vez do que os alunos devem fazer) e pode acompanhar com ações gentis e firmes, sem dar sermões ou punir.

Quando vamos aprender que o único comportamento que podemos controlar é o nosso? Os adultos podem ser capazes de fazer as crianças agirem de forma respeitosa, mas não podem fazê-las sentirem respeito. A melhor maneira de incentivar os alunos a se sentirem respeitados é controlar o nosso próprio comportamento, tornando-nos modelos de respeito tanto para nós como para os outros.

Uma parte importante do respeito e do encorajamento é honrar o direito da pessoa de controlar o seu próprio comportamento. Quando os professores tentam controlar o comportamento dos alunos, eles estão sendo desrespeitosos com os alunos. Mesmo que os adultos sejam muitas vezes desrespeitosos com as crianças, eles insistem que as crianças mostrem respeito a eles. Será que isso faz sentido?

Decidir o que fazer em vez de tentar controlar os outros pode ser uma ideia nova para alguns professores. Os exemplos a seguir podem motivá-lo a pensar de maneira criativa.

Uma professora se cansou de repetir as instruções o tempo todo. Ela disse à turma que daria as instruções apenas uma vez e, se necessário, escreveria as instruções na lousa. Se alguém não a compreendesse ou ouvisse, estava tudo bem; aquele aluno poderia perguntar a um colega de classe. A professora não iria repetir a instrução. Alguns alunos ainda vieram até ela e perguntaram, mas, quando o fizeram, ela simplesmente sorriu e deu de ombros. Ou os alunos começavam a trabalhar ou pediam ajuda para os outros.

O próximo exemplo mostra uma combinação de "acompanhamento" e "decidir o que você fará". A sra. Adams estava tendo dificuldades com o Justin, que toda hora saía de seu lugar para fazer perguntas. Embora tentasse responder às suas perguntas, ela notou que ele parecia querer atenção constante. Ela identificou seu sentimento de irritação e usou o Quadro dos Objetivos Equivocados (veja o Cap. 4) para verificar que o objetivo equivocado de Justin era atenção indevida. Perceber isso a ajudou a traçar um plano para encorajá-lo. Ela lhe disse: "Estou vendo que você tem um monte de perguntas. Eu estou disposta a responder três por dia. Eu vou esticar um dedo cada vez que eu responder a uma das suas perguntas, e quando três dedos estiverem para cima, eu não vou responder mais perguntas até o dia seguinte. Você pode tentar descobrir a resposta sozinho, antes de me perguntar." Dessa forma, ela o desmotivou a procurar atenção indevida, mas ainda lhe deu alguma atenção especial com seu sinal particular.

Justin agiu como de costume na segunda-feira, e a sra. Adams seguiu o plano com gentileza, firmeza e sem palavras, depois que respondeu três perguntas. Na terça-feira, ele veio até sua mesa duas vezes mais do que de costume. (No começo, antes de encontrar uma nova maneira de se comportar, as crianças muitas vezes intensificam seu comportamento para conseguir a resposta que estão acostumadas a ter.) A sra. Adams se questionava se sua ideia iria funcionar, mas ela se lembrou da decisão de seguir com o plano por uma semana. Quando Justin reclamou porque ela não respondia nenhuma de suas perguntas, ela sorriu para ele e ergueu três dedos. No quarto dia, ele veio apenas duas vezes e, na sexta-feira, ele disse: "Eu acho que só tenho três perguntas hoje. Isso é o suficiente para a próxima semana também."

A sra. Adams deu um suspiro de alívio. "Justin", ela disse, "estou me sentindo muito melhor ao responder suas perguntas quando você não pergunta tantas vezes. Notei que você está se esforçando para encontrar as respostas sozinho. Você está fazendo um bom trabalho."

Justin tinha aprendido que sua professora cumpria o que dizia e que ela iria seguir o plano com ações gentis e firmes. Ele também aprendeu que suas escolhas tinham uma consequência relacionada, respeitosa e razoável. Ele tinha a escolha de fazer 20 perguntas e receber três respostas ou de fazer três perguntas. Ele aprendeu sobre responsabilidade. Ele também aprendeu que era capaz de encontrar algumas respostas sozinho. Um dos maiores presentes foi que ele teve a oportunidade de aprender a tratar os outros e a si mesmo com dignidade e respeito, o que a professora demonstrou tão bem.

DIZER NÃO COM RESPEITO

É adequado dizer não. Se é o que você sempre diz, então é um problema, mas alguns professores pensam que eles não têm o direito de dizer não sem dar longas explicações.

Um dia, quando um grupo de alunos estava se sentindo especialmente cansado durante uma aula do sexto ano, eles pediram à professora: "Podemos dar um tempo e jogar um jogo?" A professora respondeu: "Não".

"Por que não? Não é justo. O sr. Smith deixa a turma fazer isso."

A professora disse: "Leia meus lábios. Não."

"Ah! Só dessa vez. Você é muito rígida!"

"Que parte do não vocês não entenderam?"

"Tá. Você não vai deixar mesmo, né? Temos que continuar esse trabalho."

A professora apenas sorriu.

O comportamento da professora pode parecer desrespeitoso – algumas pessoas pensaram que a professora deveria ter explicado suas razões. Na verdade, o que é desrespeitoso é explicar aos alunos o que eles já sabem. Esses alunos sabiam o que eles tinham de fazer e estavam tentando manipular a situação. A professora escapou dessa manipulação com gentileza e firmeza em relação a si mesma, aos alunos e às necessidades da situação.

COLOCAR TODOS NO MESMO BARCO

Os professores muitas vezes focam em um aluno quando surge um problema. Mas é difícil realmente conhecer todos os jogadores envolvidos em uma situação. Fingir ou mesmo acreditar que você tem a capacidade de ser juiz, júri e promotor de uma só vez não é prático.

É melhor colocar todos os alunos no mesmo barco, como nos seguintes exemplos.

Um ou dois alunos estão sussurrando, enquanto os outros estão fazendo a tarefa. "Turma, está muito barulhento aqui", diz o professor.

Alguém dedura outro aluno. "Tenho certeza de que vocês dois podem resolver isso", diz o professor.

Um aluno pega o livro de outro aluno, e os papéis voam pela sala toda. "Por favor, recolham os papéis e voltem ao trabalho", diz o professor.

Repare que o professor não usa nomes específicos. Ele coloca os alunos no mesmo barco, dirigindo-se a todos.

Vamos supor que a classe responda: "Isso não é justo. Eu não estava fazendo nada de errado", ou "Professor, foi o Tom e não eu." Você simplesmente diz: "Eu não estou interessado em encontrar o culpado ou apontar dedos, mas em resolver o problema."

Muitos professores acham que é seu trabalho resolver tudo e que eles são os únicos com boas ideias. Em vez disso, peça aos envolvidos que pensem em como resolver o problema e depois observe sua criatividade.

Em uma sala de aula, os alunos disputavam para ver quem poderia usar as bolas no intervalo. O professor disse: "Eu vou guardar as bolas até que vocês descubram um jeito de compartilhar sem brigar. Me avisem quando vocês chegarem a um acordo e, então, vocês podem tentar de novo." No começo, os alunos resmungaram, mas depois três meninos anunciaram: "Nós descobrimos um jeito. As crianças cujos nomes começam com a letra A até a M podem ficar com as bolas às segundas e quartas-feiras, e as crianças com nomes de N até Z podem ficar com as bolas às terças e quintas-feiras. Sexta-feira é dia livre. Estamos todos de acordo."

Nesse exemplo, se os alunos começarem a brigar de novo, o professor pode simplesmente dizer: "De volta à prancheta de desenho. O plano de divisão da bola não está funcionando. Me avisem quando vocês estiverem prontos para tentar de novo e, então, vocês poderão usar as bolas."

FAZER UMA PAUSA POSITIVA

Todos temos aqueles momentos em que, por uma razão ou outra, não nos comportamos da melhor forma. Daniel Siegel, no livro *Parenting from the inside out*, chama isso de "surtar" – quando "reagimos" em vez de "agirmos" racionalmente. O dr. Siegel usa um punho fechado como modelo para o cérebro. Os dedos fechados sobre o polegar representam o córtex – o único lugar onde o pensamento racional acontece. O polegar dentro do punho representa o mesencéfalo, onde velhos medos, incluindo o medo de inadequação, são armazenados. Memórias desses medos podem ativar a parte do tronco cerebral "lutar-fugir-congelar", que é representada pela palma da mão até o punho. (Assista à demonstração do dr. Siegel – em inglês – no *link* https://www.youtube.com/watch?v=gm9CIJ74Oxw.)

Fazer uma pausa positiva é diferente de fazer uma pausa punitiva. A pausa punitiva é usada quando uma criança é mandada para um canto e, geralmente, dizemos "Pense no que você fez". Fazer uma pausa punitiva inclui um sentimento de culpa, vergonha e punição.

Não há culpa ou vergonha ao fazer uma pausa positiva. Os professores envolvem os alunos na criação de um espaço que irá ajudá-los a se acalmarem e a se sentirem melhor – ensinando autorregulação. Como fazer uma pausa tem uma reputação punitiva, os alunos são convidados a dar um nome para esse espaço que represente o propósito, como "Espaço para se acalmar", "Espaço para se sentir bem" ou "Havaí". Então, em vez de serem mandados para o lugar no qual se faz uma pausa positiva, os alunos são convidados a escolhê-lo. Uma das regras da pausa positiva poderia ser que os alunos podem ir para o "espaço" sempre que sentirem necessidade. Outra possibilidade é o professor oferecer uma escolha: "O que o ajudaria agora – colocar isso na pauta da reunião de classe ou ir para nosso espaço para se acalmar?" Criar, nomear e escolher dá aos alunos autoria no processo.

Fazer uso da pausa positiva ensina às crianças uma valiosa habilidade de vida, que é a de fazer uma pausa para se acalmar até que a parte racional do seu cérebro assuma o comando novamente. É uma experiência encorajadora e empoderadora para os alunos, em vez de ser punitiva e humilhante, e dá a todos os envolvidos um período para se acalmarem.

Fazer uma pausa positiva é encorajador porque permite que os alunos façam uma pausa por um curto período de tempo e tentem novamente assim que estiverem prontos para mudar seu comportamento. Fazer uma pausa punitiva pode parar o mau comportamento de um aluno por um tempo, mas, se o aluno decidir se vingar ou desistir, os benefícios serão apenas de curto prazo. Ao fazer uma pausa positiva, o professor lembra o aluno que sentimentos e ações não são a mesma coisa e que o que sentimos nunca é inadequado, mas o que fazemos geralmente é. Fazer uma pausa positiva pode ajudar um aluno a se acalmar até que ele se sinta melhor, porque as pessoas dão o seu melhor quando se sentem melhor.

Professores que estão mais preocupados com os benefícios em longo prazo do que com o controle em curto prazo enxergarão o valor de encorajar as pausas positivas. O segredo está na atitude do professor e na explicação dada aos alunos.

Tal como a maioria dos métodos que discutimos, é importante envolver os alunos. Na próxima atividade, eles ajudam a criar a área para fazer uma pausa positiva.

ATIVIDADE: PAUSA POSITIVA

OBJETIVO

Ensinar alunos e professores que fazer uma pausa pode ser positivo, encorajador e empoderador em vez de punitivo.

COMENTÁRIO

De onde nós tiramos a ideia maluca de que, a fim de ajudar os alunos a agir melhor, primeiro temos de fazer com que se sintam pior? Os alunos (e adultos) agem melhor quando se sentem melhor, não quando se sentem pior.

INSTRUÇÕES

1. Pergunte aos alunos qual eles acham que é o propósito de fazer uma pausa no esporte. (Eles provavelmente vão mencionar coisas como recuperar o fôlego, reagrupar e traçar um novo plano.)
2. Explique que todo mundo precisa fazer uma pausa de vez em quando, porque às vezes nós todos nos comportamos mal e cometemos erros. Ter um lugar onde possamos reconhecer os nossos sentimentos, nos acalmar e então decidir o que fazer pode ajudar. Explique que essa pausa não é para punição, mas para a pessoa se acalmar até que se

sinta melhor. Assim que ela se sentir melhor (e ela pode decidir quando), ela pode voltar a participar do grupo.
3. Convide seus alunos a projetar uma área destinada à pausa positiva. Como a maioria das pessoas tem dificuldade de aceitar que fazer uma pausa pode ser algo positivo, peça, como parte do plano deles, para escolherem um nome para a área. Alguns alunos decidiram chamar a área da pausa positiva de "Lugar para se acalmar" ou "Lugar para se sentir bem".
4. Peça aos alunos que formem grupos de seis. Dê a cada grupo uma folha de papel pardo e uma canetinha. Dê cinco minutos para elaborarem ideias para a área de pausa ideal, que será projetada para ajudá-los a se sentirem melhor. Muitas áreas de pausa incluem almofadas macias, livros, bichos de pelúcia (mesmo para alunos do Ensino Médio) e algo que toque música suave.
5. Peça aos alunos para entregarem suas folhas de papel e elaborarem um planejamento para o uso do espaço da pausa positiva. Diga a eles que alguns professores apresentam objeções: "E se os alunos se comportarem mal só para poderem ir para lá ouvir música?" ou "E se um aluno quiser ficar o tempo todo lá porque ele prefere brincar com os brinquedos ou dormir no pufe?". Encoraje-os a considerar soluções para essas preocupações em sua proposta.
6. Depois de cinco minutos elaborando ideias, peça para cada grupo ler suas sugestões em voz alta. Analise as ideias com a turma para criar um plano para a área de pausa positiva que seja respeitoso com todos e útil para aqueles que precisarem.
7. Discuta com os alunos que tipo de pausa (punitiva ou positiva) seria mais útil para eles de forma a motivá-los a melhorar o comportamento. Por quê? O que eles pensam, sentem e decidem fazer quando são banidos para fazer uma pausa punitiva? O que eles pensam, sentem e decidem fazer quando experimentam fazer uma pausa positiva?

COMENTÁRIO

Os professores muitas vezes têm medo de que seus alunos aproveitem esse convite para tirar uma soneca, ler um livro ou apenas olhar pela janela. Se os seus alunos fazem isso para tirar proveito, então você tem um outro problema que precisa de atenção – uma luta de poder, um ciclo de vingança ou inadequação assumida. Se for esse o caso, você pode seguir qualquer uma das sugestões do Quadro dos Objetivos Equivocados (veja o Cap. 4),

> fazer perguntas "o que", "por que" e "como" ou obter ajuda durante uma reunião de classe com foco em soluções.

Depois de ter ensinado os alunos sobre fazer uma pausa positiva, você pode oferecer esse espaço como uma escolha no momento em que estiverem passando por um problema. Se o comportamento de um aluno for inadequado (falta de respeito com os outros), pergunte a ele se ajudaria ir para a área da pausa. Ou ofereça ao aluno várias opções. Por exemplo: "O que o ajudaria mais agora: fazer uma pausa positiva, algo na Roda de Escolha ou colocar esse problema na pauta da reunião de classe?" Fazer uma pausa positiva estimula o comprometimento, visto que é apenas uma das várias opções para um aluno escolher.

Pausa positiva com um parceiro

Alguns professores permitem que os alunos escolham um colega de classe para escutá-los no local da pausa positiva. Depois que os alunos aprenderem sobre habilidades de escuta (a partir das atividades do Cap. 6), um amigo ouvinte pode ser parte do plano de fazer uma pausa. Isso significa que um aluno pode escolher um amigo para ir com ele ao local da pausa, simplesmente para ouvir enquanto ele fala sobre seu problema ou situação. Ou esse amigo ouvinte pode sentar-se calmamente e consolar um aluno que esteja chateado. Compartilhar enquanto alguém ouve pode ser bastante terapêutico.

Pausa positiva com alunos de Ensino Fundamental II e Ensino Médio

Muitos professores têm receio de que os alunos mais velhos possam tirar vantagem da pausa positiva e passar todo o seu tempo lá. Isso não costuma acontecer quando os alunos são respeitosamente envolvidos no processo de criação do local para fazer uma pausa positiva e das orientações para seu uso.

Uma turma de Ensino Médio projetou a área para fazer uma pausa positiva que parecia o Havaí. Toda a turma criou um mural com o mar, uma praia e palmeiras. Os alunos doaram duas cadeiras de praia, um golfinho de pelúcia e conchas.

Alguns professores providenciaram um cronômetro para os alunos definirem quanto tempo eles acham que precisam para se sentir melhor. A maioria dos alunos não escolhe mais de dez minutos para a pausa positiva. Alguns professores permitem que os alunos fiquem o tempo que precisarem, acreditando que eles não vão abusar do privilégio. Se o privilégio for mal utilizado, o problema é discutido durante uma reunião de classe para buscar soluções.

As pessoas agem melhor quando se sentem melhor. Nós não motivamos os alunos a agir melhor fazendo com que se sintam pior por meio do castigo. Não ajuda dizer aos alunos: "Vá para lá e pense no que você fez." É útil dizer: "Quando você estiver dando uma pausa, faça alguma coisa que o ajude a se sentir melhor, porque eu sei que você vai agir melhor quando se sentir melhor." Aliás, os professores também podem fazer uma pausa positiva!

DAR PEQUENOS PASSOS

Dar pequenos passos é uma importante ferramenta de gerenciamento de sala de aula. A estrada para o sucesso é percorrida um passo de cada vez. Se definir metas muito difíceis, você pode nunca começar, ou pode se sentir desencorajado se as coisas não acontecerem da noite para o dia. Nós discutimos muitas ferramentas de gerenciamento de sala de aula. Você pode manter uma cópia da lista de ferramentas em sua mesa para facilitar a consulta. Acrescente seus próprios métodos não punitivos que irão encorajar seus alunos e promover habilidades de vida importantes.

O objetivo dessas ferramentas de gerenciamento de sala de aula é ensinar aos alunos que os erros são oportunidades para aprender, para dar a eles habilidades de vida que serão úteis quando os adultos não estiverem por perto, e para ajudá-los a ter um senso de aceitação e importância, para que eles não sintam a necessidade de apresentar um comportamento contraproducente.

DISCIPLINA POSITIVA EM AÇÃO

Na minha turma de primeiro ano, eu ensinei os alunos a fazerem uma pausa positiva, e desenvolvemos um espaço. Eles nomearam esse espaço de "Lugar confortável". Um dos meus alunos tinha muita dificuldade de lidar com sua raiva. Havia muitas questões em jogo para ele – uma situação familiar difícil, além de um diagnóstico de transtorno do déficit de atenção com hiperatividade (TDAH). (Em um episódio, durante a primeira semana de aula, ele empurrou um outro aluno e gritou: "Eu vou furar o seu rosto com uma faca!")

 Na sexta-feira, uma professora diferente veio à nossa sala para dar uma aula. Durante a aula, meu aluno levantou a mão muitas vezes com uma ideia para compartilhar. A professora lhe deu atenção várias vezes, mas, no final da aula, ela saiu da sala enquanto sua mão ainda estava levantada. Depois que ela saiu da sala, eu o chamei e ele começou a gritar comigo. Eu expliquei que adoraria conversar com ele e ouvir o que ele tinha a dizer, mas que tínhamos de esperar até que ele falasse comigo de maneira respeitosa. Ele se levantou e, quando eu estava prestes a dizer algo (mas não o fiz, graças a Deus), ele foi batendo os pés até o fundo da sala, com seus punhos ameaçadores gritando: "Eu estou com tanta raiva de você!" Por um momento me preocupei, pensando que ele fosse sair da sala, mas ele foi para o Lugar confortável! Ele ficou lá por cerca de cinco minutos e, em seguida, por vontade própria, voltou para o tapete, sentou-se e levantou a mão. Ele ainda parecia irritado e até soprou e bufou um pouco, mas, quando eu chamei seu nome, ele foi capaz de me dizer respeitosamente que estava bravo com a outra professora porque ela não lhe deu atenção. Eu disse a ele que eu podia entender por que aquilo o fez sentir raiva. Eu também pedi para ele compartilhar o que estava pensando, e ele o fez. Sucesso!

Heather Ladd,
Professora do primeiro ano, Sul da Califórnia, Estados Unidos

9
ABORDAGENS FOCADAS EM SOLUÇÃO PARA O *BULLYING*

Os efeitos benéficos de desenvolver o moral, oferecendo um senso de união e considerando dificuldades como planos para compreensão e melhoria, em vez de objeto de provocação, prevalecem sobre qualquer possível dano.

Rudolf Dreikurs

Dificilmente passa-se uma semana sem escutar alguma referência na mídia sobre *bullying*. Apesar de ele estar presente desde o começo dos tempos, a mídia mantém o assunto predominante em nossa consciência e preocupação.

Um esforço intencional está sendo desenvolvido de forma a educar os pais, os profissionais da educação escolar e os jovens sobre o *bullying*. Isso pode ter sido resultado de vários incidentes nos quais alunos que se sentiram ridicularizados e dissociados mataram outros alunos inocentes. Muitas escolas têm implementado programas contra o *bullying*. Algumas delas usam um modelo punitivo de resolução de problemas, enquanto outras ensinam empoderamento e desenvolvimento da autoestima aos alunos.

O QUE É O *BULLYING*

Dan Olweus, um especialista escandinavo em *bullying*, define-o como a prática repetida de atos malvados e nocivos com a intenção de magoar alguém que tem dificuldades de se defender. O ato de praticar *bullying* tem a intenção de machucar e há um desequilíbrio de poder. De acordo com Olweus, o agressor está errado e a vítima é inocente. Olweus reconhece que reuniões de classe são uma das melhores maneiras de prevenir o *bullying*, porém o seu programa não inclui métodos para conduzir reuniões de classe.

O *bullying* é uma maneira equivocada de resolver um problema percebido ou real. Pode ser um ato praticado em longo prazo para compensar o senso de inadequação. Quando as pessoas acreditam que elas são boas o suficiente do jeito que são, elas não sentem que precisam mais agredir. Mas, quando as pessoas sentem que são inferiores, elas tentam resolver o problema, e às vezes o *bullying* é a resposta. Rudolf Dreikurs definiu isso como "rebaixar alguém de forma a se sentir valorizado".

O Quadro dos Objetivos Equivocados (veja no Cap. 4) esclarece o propósito do *bullying*. Alguns agressores buscam atenção e reconhecimento. Eles estão usando o seu comportamento para dizer: "Olhe para mim. Você não pode me ignorar. Eu sou o valentão por aqui." Chamamos esse objetivo equivocado de atenção indevida. Outros agressores se comportam de maneira a adquirir poder. Eles estão usando o seu comportamento para dizer: "Veja quão poderoso eu sou. Eu sou o chefão e você fará o que eu digo. Posso fazer o que quiser e você não pode me impedir." Chamamos esse objetivo equivocado de poder mal dirigido.

Outros agridem com o propósito de pagar na mesma moeda ou de se vingar dos outros pelas suas mágoas. Esse objetivo equivocado chama-se vingança. O comportamento está dizendo: "Estou magoado e você pagará por isso. Vou fazê-lo se sentir tão mal quanto me sinto agora. Isso é justo." Eric Harris, um dos atiradores de Columbine, escreveu em seu diário: "Se as pessoas me elogiassem mais, tudo isso ainda poderia ter sido evitado."[1]

Por fim, o *bullying* pode ser usado para manter as pessoas afastadas para que o agressor seja deixado em paz. Por mais estranho que pareça, o agressor quer ficar sozinho, sem criar expectativas de melhorar o seu comportamento. Ele pode pensar: "Não importa o que eu faço, as coisas nunca melhoram, então por que me preocupar sequer com tentar?" Não cansamos de dizer: uma criança mal comportada é uma criança desmotivada.

---

1 Citação de Susannah Meadows, "Murder on Their Minds: The Columbine Killers Left a Troubling Trail of Clues", *Newsweek*, 17 de julho de 2006.

TRÊS ERROS COMUNS SOBRE O *BULLYING*

As crianças jamais aprenderiam como agredir se elas não tivessem visto seus pais (ou professores) e copiassem o que veem

Os pais são os primeiros modelos e figuras de autoridade, e os professores são os seguintes. Mas precisamos lembrar que não é o que acontece conosco, ou à nossa volta, que define quem somos, mas sim o que decidimos fazer com relação a isso. Se atitudes agressivas estão presentes em casa ou na escola, alguns jovens, por meio de sua observação, podem decidir que essa é a maneira de agir. Outros podem tomar uma decisão totalmente diferente, escolhendo agir de maneira oposta, e decidir nunca agredir ou violentar os outros.

Algumas crianças aprendem a agredir assistindo à televisão, copiando seus colegas ou fazendo parte de uma gangue para se sentirem seguros, ou seguir com a multidão. Independentemente de como as crianças começam o *bullying*, aquilo parece fazer sentido, e elas vão ficando cada vez melhores em qualquer coisa que pratiquem regularmente. Portanto, é indispensável que os adultos ensinem às crianças outras estratégias para resolução de problemas, que proporcionem maneiras respeitosas de obter reconhecimento, poder, justiça e habilidades.

Uma vez que você lida com o agressor, o problema acaba

Assim como todos os tipos de comportamentos, o *bullying* não acontece do nada. No *bullying* existem o agressor, a vítima e, frequentemente, o espectador passivo. Cada um é afetado e envolvido, mas de maneiras diferentes.

Conforme você lê este capítulo, talvez esteja se lembrando de quando você vivenciou o *bullying*. Se você não estiver pensando nisso, faça uma pausa e tente se lembrar. Quando você se lembra da situação, você fazia o papel do agressor, da vítima ou do espectador passivo? O que você estava pensando, sentindo e decidindo fazer? O que estava fazendo? O que você desejava? Ninguém sai ileso dessa situação – cada um sofre o impacto, só que de maneiras diferentes.

Se você era o agressor, você estava agredindo fisicamente? Você estava ameaçando, intimidando ou coagindo alguém? Você estava excluindo ou humilhando alguém? Você estava tentando controlar outra pessoa ou fazer com que ela se voltasse contra alguém? Você estava exigindo comida, dinheiro ou favores de alguém? Você falou mal de alguém pelas costas? Você iniciou boatos sobre alguém? Você decidiu isolar ou banir alguém?

Se você era a vítima, você era menor ou mais fraco que o agressor? Você era menos popular ou menos atraente que o agressor? Você tinha diferenças físicas, religiosas ou culturais? Você era solitário? O que fez de você um alvo? Você lutou? Se não, por que não? Você contou isso para alguém? Se não, por que não?

Se você era um espectador passivo, você se sentia aliviado por não estar acontecendo com você? Você intercedeu? Correu para procurar ajuda? Tentou enfrentar o agressor? Falou para o agressor parar? Deu risada? Ficou do lado do agressor? Ficou de ouvido aberto esperando escutar boatos? Fez fofoca juntamente com o agressor? Contribuiu para isolar a pessoa?

Ao longo dos anos, Lynn escutou inúmeras histórias, em seu consultório, de pessoas que ainda estão perturbadas por causa de situações de *bullying*. Como adultos lidando com essas situações, é importante que todos os envolvidos tenham a chance de refletir sobre o que aconteceu – preferencialmente juntos (mais informações sobre isso a seguir).

Os adultos devem corrigir a situação

Muitas famílias e profissionais da educação estão, sem querer, reforçando o treinamento vítima-agressor por causa da maneira como lidam com as crianças quando ocorrem brigas ou *bullying*. Esses adultos agem como juízes, jurados e executores ao decidirem quem começou o problema, punirem ou rotularem uma das crianças como o brigão ou o agressor. Os adultos não conseguem enxergar ou entender toda a dinâmica entre as crianças e, muito frequentemente, eles acabam culpando a mais alta, a mais velha ou a criança do gênero masculino, rotulando-a como agressora e apoiando a criança que eles acreditam ser a pobre vítima. Eles nem notam o espectador passivo. Muitas vezes, vemos que as crianças que passaram por esse tipo de resolução escondem seus sentimentos de injustiça e, mais tarde, explodem de maneira violenta e furiosa. Elas se sentem incompreendidas e na posição de alvo, sem voz e sem apoio.

Em Disciplina Positiva, ensinamos que todos que fazem parte do problema precisam fazer parte da solução. A melhor maneira de implementar essa ideia é na reunião de classe, mas, mesmo sem essa ferramenta, todos os envolvidos na situação podem se reunir para conversar com o apoio de um adulto neutro e que se importa.

A história do mundo é cheia de situações de agressores, os quais conquistaram seu lugar usando intimidação e agressão. Em Disciplina Positiva, estamos reescrevendo essa história, uma família por vez, uma sala de aula por vez, uma escola por vez, ensinando métodos que focam em respeito, compreendendo, desenvolvendo consenso, buscando soluções e contando com a ajuda de todas as pessoas que são parte do problema para fazerem parte da solução. Durante as reuniões de classe, vimos as crianças proporem maneiras de ajudar um colega a desenvolver um senso de aceitação e importância (pensando em modos de demonstrar amizade e preocupação) até que o *bullying* chegasse ao fim. Nós observamos espectadores passivos confessarem que eles perpetuaram o *bullying* ou se sentiram mal por não terem falado nada. Durante o processo de elaborar soluções, eles concordaram em dar apoio uns aos outros ao relatar casos de *bullying*, a fim de acabar com ele. Observamos as crianças mostrarem empatia em relação ao agressor, mergulharem no mundo dele por meio de encenações e elaborarem soluções para dar apoio.

Depois de um incidente em 2012, no qual um motorista de ônibus idoso foi agredido, Jane Nelsen foi entrevistada por um repórter e disse: "os métodos tradicionais de punição – gritar, humilhar, bater, colocar de castigo etc. – são contraproducentes". Ela sugeriu que: "os pais dos agressores seguissem os Quatro Passos para colocar de lado a raiva, reservar um tempo para se conectar emocionalmente com a criança que se comportou mal, encontrar a razão por trás da malcriação e, então, ajudar a criança a aprender e crescer com seus erros" – incluindo fazer reparos.[2] As crianças que agrediram o monitor do ônibus sentiram-se envergonhadas quando assistiram ao vídeo do que tinham feito. Elas tentaram fazer as pazes, mas isso não era suficiente para muitos adultos, os quais queriam agredir os agressores e fazer com que eles sofressem mais pelo que fizeram.

Quando Jane descobriu que sua própria filha fazia parte do grupo de crianças atirando laranjas nos carros, ela lidou com a situação da mesma forma que seria apropriado lidar no caso de *bullying*. Ela disse à sua filha: "Sinto muito que isso tenha acontecido. Conte-me mais sobre isso." "Como você es-

---

2 Jane Nelsen citada por Rene Lynch, "Don't Punish Bullies of School Bus Monitor, Parenting Expert Says", *Los Angeles Times*, 12 de junho de 2012, http://latimes.com/news/nation/nationnow/la-na-nn-dont-punish-kids-in-bullying-video-20120621,0,7205124.story.

tava se sentindo naquele momento?", "Como você acha que o vizinho se sentiu?" "Como você se sentiria se tivesse um carro novo e alguém atirasse laranjas nele?". Esse tipo de pergunta foi levando à pergunta principal: "O que você acha que podemos fazer para resolver essa situação?". A filha da Jane, por conta própria, chegou à seguinte conclusão: ela precisava se desculpar pessoalmente, além de escrever uma carta de desculpas e passar o dia limpando o carro do vizinho com suas próprias mãos. Consequências desse tipo irão, eventualmente, ensinar à criança por que é importante respeitar os outros, além de impedir que isso ocorra novamente.

A Disciplina Positiva ensina que os adultos devem trabalhar para ajudar a imbuir responsabilidade pessoal nas crianças e guiar aqueles que se comportam mal para que corrijam seus comportamentos e façam reparos quando cometem erros.

A Disciplina Positiva não aceita permissividade ou práticas que mimem as crianças e também não apoia o senso de arrogância na criança. Porém, punir um agressor sem a compreensão ou investigação do que germinou a causa do seu comportamento apenas serve para fertilizar o solo e aumentar esse tipo de comportamento no futuro.

O QUE OS ADULTOS PODEM FAZER?

Talvez a atitude primordial seja *levar o* bullying *a sério*, acreditar que ele realmente exista e que as crianças precisam de ajuda. Muitas situações de *bullying* acontecem debaixo do nariz dos adultos.

Primeiro, os adultos devem estar alertas aos sinais de que alguém está sofrendo *bullying*. O aluno que não quer ir à escola, que não usa o banheiro até chegar em casa, que pede ou rouba dinheiro ou comida (para dar ao agressor), que exibe sintomas físicos ou que tenta entrar na escola com uma arma escondida, de qualquer natureza, está mostrando sinais de que está sofrendo *bullying*.

Em seguida, é importante que os adultos intervenham. Em vez de isolar somente o agressor, a vítima ou o espectador passivo em uma situação de *bullying*, coloque todas as crianças no "mesmo barco". Realize uma reunião de classe, uma assembleia, uma roda de justiça restaurativa ou uma reunião com todas as vítimas, espectadores passivos e agressores, juntamente com os pais. Certifique-se de que todos tenham direito à palavra e a serem ouvidos. Saliente que esse tipo de situação não será tolerada pela escola e que deve haver soluções. Lembre as crianças de que elas têm o direito de se sentirem seguras na escola.

Escute todas as crianças envolvidas e assegure-se de que elas tenham a chance de falar. As melhores soluções normalmente surgem das crianças. Não subestime a criatividade e a habilidade delas de resolverem problemas, geralmente de maneira mais fácil e rápida que a dos adultos.

Para nossa surpresa, as soluções mais simples são normalmente as que funcionam melhor: lembrar as crianças de andar com seus amigos e instituir uma patrulha voluntária de adultos nos corredores, banheiros e parquinhos. Às vezes, basta a presença de um adulto para reduzir as situações de *bullying*. Ajude as crianças a responderem de maneira inesperada e criativa quando são sujeitas a ameaça ou intimidação. Pode parecer inocente quando os pequenos dizem: "O que você fala do outro define quem você é", e isso é o suficiente para a intimidação terminar. Transformações maravilhosas podem acontecer quando a criança convida o agressor para jogar bola ou dividir um sanduíche ou se mostra amigável.

Encoraje as crianças a colocar as situações de agressividade na pauta da reunião de classe. Se elas preferirem não incluir os nomes dos envolvidos, elas podem escrever como um item genérico: "maldade no parquinho" ou "roubaram meu lanche". As soluções são fáceis de serem geradas mesmo sem identificar os nomes dos agressores. Em alguns casos, também pode ser eficaz ignorar o agressor, o que faz com que ele perca a vontade de continuar provocando. Focar em soluções nas reuniões de classe tem um efeito poderoso nos agressores. Alguns agressores tentam manter a sua reputação respeitosa alegando que eles não tinham noção de como as suas ações magoavam outras pessoas – ou, então, que eles estavam apenas brincando. Mesmo assim, parece que eles sentem o poder dos participantes do grupo ao compartilhar o que pensam sobre o *bullying* e, frequentemente, ficam motivados a mudar – especialmente quando eles têm a oportunidade de escolher soluções.

É extremamente útil certificar-se de que seus adolescentes fazem parte de diversos grupos, tanto na escola como fora dela, assim eles sempre terão um lugar para se sentirem aceitos. Incentivar os esportes, a dança, as artes marciais, os passatempos favoritos, as aulas de teatro, e assim por diante, dá à criança a chance de formar grupos com amigos diferentes, caso os amigos da escola decidam se voltar contra ela. Quando isso acontece, é muito reconfortante para as crianças saber que existe um outro grupo com o qual elas podem contar.

CAUTELA: QUANDO NÃO É *BULLYING*

Frequentemente, os adultos ficam excessivamente zelosos ao tentar "acabar" com um problema. Eles podem rotular o comportamento como sendo *bullying* quando, na verdade, é somente um comportamento típico da idade. É muito normal para os alunos da pré-escola provocarem dizendo: "Você não está convidado para a minha festa de aniversário". Temos escutado histórias sobre crianças de seis anos que foram suspensas por "assédio sexual" ou por terem simulado uma luta no parquinho. Esses casos não são nem *bullying* nem assédio sexual. Crianças pequenas costumam testar os comportamentos que eles escutam à sua volta (na TV ou de adultos) que eles não entendem completamente. Mesmo assim, esses incidentes são oportunidades para ensinar às crianças que seus comportamentos afetam os outros e que eles podem substituir os comportamentos desrespeitosos por habilidades sociais apropriadas. Esses comportamentos podem ser colocados na pauta da reunião de classe, para que mesmo as crianças pequenas comecem a discutir como seus comportamentos podem machucar os outros – e elaborar soluções. Essas crianças precisam de habilidades, não de rótulos.

Incentivamos professores de todas as idades a fazerem uma atividade com seus alunos chamada "Charlie". É uma atividade (criada por Suzanne Smitha, uma psicóloga escolar e treinadora certificada em Disciplina Positiva) fácil e rápida de fazer, e de fácil compreensão. Uma vez realizada com seus alunos, você poderá utilizá-la como ponto de referência quando acontecerem situações difíceis.

ATIVIDADE: CHARLIE

OBJETIVO

Ajudar os alunos a verem os resultados de comportamento e frases cruéis, e a compreenderem que o estrago pode ser melhorado, mas não pode ser completamente reparado.

INSTRUÇÕES

1. Desenhe o contorno de uma pessoa em um grande pedaço de papel. Diga a seus alunos que o nome dessa pessoa é Charlie.

2. Peça aos seus alunos que compartilhem exemplos de comentários ou comportamentos que magoaram seus sentimentos. Todas as vezes que alguém disser algo, amasse um pouco o desenho, até que ele vire uma bola de papel bem amassada.
3. Pergunte aos alunos como eles acham que o Charlie está se sentindo. Será que ele gostaria de voltar para a escola? Alguém já se sentiu assim antes?
4. Agora pergunte o que eles poderiam fazer ou dizer que pudesse ajudar o Charlie. Assim que um aluno disser algo encorajador, desamasse um pouco o papel, até que ele fique totalmente aberto. Saliente que, mesmo agora que o Charlie foi encorajado, os amassados permaneceram no papel. Peça aos alunos que pensem antes de agir, sabendo que as palavras podem ser muito difíceis de esquecer e que os "amassados" podem durar por muito tempo.
5. Pendure o Charlie na sala como um lembrete, e refira-se aos amassados do papel quando as crianças esquecerem de se tratarem com respeito. Se um aluno está passando por dificuldades, pergunte se ele está tendo um dia como o Charlie, e o que o ajudaria a se sentir melhor e a agir melhor.

A Disciplina Positiva tem sido pioneira em proporcionar ferramentas para lidar com maus comportamentos (incluindo *bullying*) de maneira não punitiva, respeitosa e efetiva. Durante as reuniões de classe sobre *bullying*, os alunos focam em uma abordagem orientada para a solução e que não seja punitiva – procurando entender o que aconteceu, o que causou o acontecimento, o que cada pessoa poderia fazer diferente da próxima vez e como reparar os erros, se necessário.

DISCIPLINA POSITIVA EM AÇÃO

Sou novata em Disciplina Positiva e comecei a implementá-la em minha escola na França. Comecei usando as "Perguntas que estimulam a curiosidade". Durante o intervalo, quando as crianças de 3 a 5 anos estavam brigando, eu perguntei: "Qual é o problema?".

Um dia, uma criança de 4 anos destruiu o castelo de areia de outra. Os dois meninos me disseram qual era o problema e perguntei a eles qual seria uma maneira de resolvê-lo. O menino que destruiu o castelo falou que ele poderia ajudar o outro a fazer um novo castelo, e eles começaram a brincar alegremente de novo.

Eu também tenho trabalhado com a Roda de Escolha. Em minha sala, nós elaboramos ideias para os alunos poderem usar quando eles estiverem passando por problemas ou brigando. Eles encontraram várias opções como: beijar, abraçar, dançar juntos, falar com o professor, mas a melhor de todas é fazer cócegas! Essa era a ideia mais escolhida quando eles estavam brigando, e sempre funcionou. Você acha que eu teria pensando nisso? As crianças são tão criativas e cheias de recursos. Estou muito impressionada.

Uma das crianças na escola batia umas 40 vezes por dia. Ensinei às crianças como elaborar soluções, e a mais votada foi: falar para essa criança que eles gostavam dela. Mais tarde no mesmo dia, um aluno veio me contar: "Nadine, esse negócio de falar para ele que gostamos dele não está funcionando muito bem. Precisamos encontrar uma outra solução." Eu adoro quando as crianças sabem que podemos continuar buscando soluções. Nós realizamos uma outra sessão para pensar em novas maneiras de ajudar esse aluno. As crianças decidiram emprestar um carrinho superlegal – e deu tudo certo!

Nadine Gaudin, professora do Institut Notre-Dame,
St-Germain-en-Laye, França

DISCIPLINA POSITIVA EM AÇÃO

São muitos os benefícios que aprendi ao construir relacionamentos com alunos difíceis. Aprendi que alguns dos fatores que influenciam o mau comportamento são: o senso de autovalor, a busca por constante atenção e a busca pela própria identidade. Alunos que sentem que não são inteligentes ou amados o suficiente, dentro e fora da escola, vão procurar outras maneiras de serem reconhecidos. Os alunos acham que interromper a aula é a única maneira de chamar a atenção do professor e de seus colegas. Eles buscam comportamentos incômodos, identificam-se com eles e sentem que é assim que são reconhecidos pelos outros na escola. Todos esses fatores têm outros motivos que levaram a isso. Tudo é baseado em quanta confiança os alunos têm em ir para a escola e a confiança que têm em seus professores. Ao trabalhar de perto com esses alunos, mostro a eles que não vou desaparecer e que eu sou capaz de prevenir que os próximos episódios de alunos desafiadores aconteçam. Eu posso responder com estratégias práticas que uso diariamente em minha sala de aula. Outro benefício seria empoderar os alunos. Ao mudar positivamente a percepção de autoridade do aluno e descartar o estilo de ensino que não produz resultados em longo prazo, eu serei capaz de construir um relacionamento confiável e poderoso com os alunos. Também me sinto mais empoderada, menos estressada no trabalho e feliz com meus alunos.

Loribeth Knauss, professora do quinto ano,
Shoemaker Elementary School,
Distrito escolar East Penn, Pensilvânia, Estados Unidos

10
ELIMINANDO AS DIFICULDADES DE FAZER A LIÇÃO DE CASA

Se a criança não está indo bem na escola, isso pode dar início a um cabo de guerra. O professor pode culpar os pais pela dificuldade que ele tem com seus alunos. Ele muitas vezes exige que exerçam influência para melhorar o progresso ou o comportamento acadêmico da criança. Normalmente, ele lhes dá a responsabilidade de ajudar a criança com seus estudos, em particular com o dever de casa. Ao fazê-lo, ele contribui muito para a infelicidade da família e para o aumento do antagonismo da criança com o aprender.

Rudolf Dreikurs

Qual é a maior luta que os pais têm com seus filhos em relação à escola? Se você pensou em lição de casa, você acertou. Essa luta começa na primeira vez que as crianças têm lição de casa e continua ao longo de seus anos de escola, muitas vezes chegando ao ponto de exigir intervenções extremas, como terapia, tutoria, punições graves tanto em casa como na escola e até mesmo o divórcio, porque os pais não conseguem concordar sobre como lidar com a questão.

Por que a lição de casa tem de ser uma luta? Os professores não querem causar nenhum dano quando enviam para casa uma carta aos pais. Como é que alguém poderia criticar a seguinte declaração sobre a política da lição de casa: "O propósito da lição de casa é melhorar o desempenho dos alunos, ajudá-los a serem autônomos e aprendizes independentes e a desenvolverem bons hábitos de trabalho." Como muitas ideias, soa muito bem, mas será mesmo?

Na verdade, mesmo que essa política se destine a ajudar o aluno a ser autônomo, muitos pais acompanham de perto a lição de casa dos filhos. Eles querem fazer a coisa certa para seus filhos e não querem ter problemas com o professor. Eles acham que é sua responsabilidade garantir que seus filhos tenham sucesso, e essa crença pode ser reforçada quando os professores se queixam de que os pais não estão sendo responsáveis no controle da lição dos filhos.

Em vez de inspirar um senso de autonomia nos alunos, a lição de casa ensina que as lições e notas são mais importantes para os pais e professores do que os próprios alunos. Isso dói, então as crianças escolhem infligir a dor também (mesmo se elas se machucarem no processo), ao não se preocuparem com os seus deveres ou se recusarem a fazê-lo sem antes ter uma luta de poder e/ou um ciclo de vingança. Às vezes, os pais ficam consternados ao descobrir que seus filhos não entregaram o trabalho que fizeram. Obviamente, essas crianças estão provando que *"Você não manda em mim!"*.

Além do desafio da lição de casa, tem o fato de que as crianças já estão ocupadas com inúmeras atividades extracurriculares. Muitos pais trabalham em tempo integral ou parcial, ou são pais solteiros que tentam dar conta de suas intermináveis responsabilidades. Agora, os pais e as crianças devem achar um tempo para fazerem as lições de casa juntos. Se há mais de uma criança na escola, é pior ainda. E, se os professores não coordenam os trabalhos de casa, algumas crianças podem ter até seis horas de lição de casa de seis professores diferentes. Além disso, há os trabalhos com os quais nenhuma criança pode ter sucesso sem a ajuda dos pais.

Raramente os professores resolvem o problema da lição de casa com seus alunos. Em vez disso, eles assumem uma atitude de "Eu sei o que fazer", tornando a tarefa de fazer a lição de casa um requisito para passar de ano. Algumas crianças podem passar facilmente nas provas sem fazer a lição de casa, mas elas ainda podem ser reprovadas em uma matéria ou tirar nota baixa por não ter feito a lição.

Conversar com os alunos pode ser um longo caminho para resolver muitos dos dilemas envolvendo lição de casa. As lições poderiam ser o resultado da resolução conjunta de problemas entre professores e alunos. Discutir tudo isso seria um excelente tema para a reunião de classe.

A variedade de atividades nas lições acrescenta riqueza à aprendizagem, e algumas ajudam com a prática e a repetição necessárias para aprender e ter sucesso na escola. Nós não estamos sugerindo que alguém deva proibir toda e qualquer lição de casa, mas achamos que os professores precisam ser sensíveis sobre as questões que se desenrolam fora da sala de aula. Algumas crianças ficam tão estressadas com a lição de casa, para evitar ficar em apuros ou tirar uma nota baixa, que elas não têm tempo para atividades familiares. Outros sentem os sintomas físicos do estresse. Em muitas famílias, o horário da lição de casa é cheio de disputas por poder, lágrimas, ameaças, recusa para fazer o trabalho e até mesmo mentiras, como: "Eu não tenho lição de casa hoje." A alegria de aprender é perdida quando as dificuldades por causa da lição de casa se tornam o foco principal.

Na França, em 2012, um grupo de professores e pais convocou duas semanas de boicote à lição de casa, porque, segundo eles, "é inútil, cansativa e reforça as desigualdades entre as crianças". Eles ainda se queixaram de que a responsabilidade pela lição de casa passou a ser dos pais, em vez de ser da criança, o que resultou em brigas intermináveis em casa entre eles. Eles sugerem que, se os alunos precisam de trabalho ou prática extra, eles devem fazê-lo na escola, em vez de fazê-lo em casa.[1]

Em uma família na qual o filho frequenta uma escola particular focada no ingresso à universidade, os pais contaram que, no início do ano letivo, a escola enviou para casa um bilhete destinado à família pedindo aos pais para ficarem longe da lição de casa dos filhos. Eles encorajaram os pais a se distanciarem e deixarem as crianças descobrirem como fazer as lições sozinhas. Eles prometeram que os professores iriam lidar com as crianças que não terminaram a lição de casa e trabalhariam com elas para incentivar a responsabilidade. Os pais acharam difícil abrir mão, mas a escola continuou a encorajá-los, dizendo que era uma boa prática para as crianças e que elas estavam desenvolvendo habilidades de autonomia e responsabilidade. Demorou cerca de seis meses para o novo sistema realmente funcionar, porque os velhos hábitos tanto dos pais como das crianças estavam arraigados. Mas, finalmente, o estresse em torno das lições de casa desapareceu naquela família, e o filho aprendeu a assumir total responsabilidade por sua lição.

Em outra família, uma mãe escreveu que seu filho começou a ter aulas *on-line* em vez de frequentar a escola. Ele faz todo o seu trabalho durante o dia e pode desfrutar de suas atividades extracurriculares, amigos e família, sem o estresse e as brigas por causa das lições de casa. Essa foi uma grande mudança em relação às dificuldades que ele teve antes com lição de casa – especialmente quando seus pais resolveram tirar proveito da situação.

---

[1] "French Parents Boycott 'Useless' Homework", *Agence France-Presse*, 28 de março de 2012, http://www.mid-day.com/news/2012/mar/280312-French-parents-boycott-useless--homework.htm.

TIRANDO PROVEITO

Muitas vezes, esse "tirar proveito" acontece a partir das brigas em relação às lições de casa, bem como a outros problemas de disciplina. Veja como funciona: a criança fica em apuros na escola, porque a sua lição de casa não está completa. Os professores sugerem que os pais "disciplinem" seu filho ou certifiquem-se de que a criança tenha "consequências" para esse mau comportamento na escola. Essas palavras são eufemismos para pedir aos pais para punir a criança novamente por algo que ela já foi punida na escola. Isso é abuso de poder. Imagine como você, no papel de professor, se sentiria se os pais de uma criança viessem até você pedindo que você "disciplinasse" o filho deles ou lhe mostrasse que haveria "consequências" por não limpar seu quarto, não ajudar nas tarefas domésticas ou não manter a promessa de cuidar do cachorro.

Essa é uma via de mão dupla. Os professores informam os pais sobre o progresso do seu filho na escola porque os pais querem saber como seu filho está indo. Os pais não gostam de surpresas quando o boletim chega. Em muitos casos, essa situação tem evoluído para *sites* onde os pais podem verificar *on-line* como seus filhos estão se saindo diariamente. (Sabemos de um pai que checa três vezes por dia.) Muitos pais estão recebendo educação por meio de seus filhos.

A premissa do "tirar proveito" é que, quanto mais punição uma criança recebe, mais motivada ela estará para agir melhor. Todas as pesquisas mostram que a punição não funciona, ainda assim a ideia de que talvez mais punição possa funcionar persiste. Isso não acontece. Os alunos acabam envergonhados e punidos primeiro na escola, e, em seguida, em casa. Os pais acabam se sentindo culpados e cheios de expectativas em relação a si próprios e às crianças. Mais uma vez, a responsabilidade do sucesso é colocada sobre os pais e não sobre o aluno. Além disso, as relações entre pais e filhos são desiguais.

Uma abordagem diferente seria os pais oferecerem encorajamento.

Os professores poderiam simplesmente notificar os pais e enfatizar que os professores e o aluno vão trabalhar juntos sobre essa questão da lição de casa para chegar a uma solução satisfatória. Os professores podem até convidar os pais para fazer parte dessa busca pela solução de problemas, desde que todo mundo tenha uma voz igual e que os adultos não conspirem contra o aluno. Alguns professores colocam a questão da lição de casa na pauta da reunião de classe. Quando os alunos escutam outras opiniões e têm escolhas, eles se saem melhor. Deixar que as crianças decidam quais três noites serão as noites da lição de casa funciona muito melhor do que dizer que eles terão de fazer a lição de casa três noites por semana.

> ## DISCIPLINA POSITIVA EM AÇÃO
>
> Nas escolas em que eu trabalho, nas quais há participação dos pais, a importância da Disciplina Positiva não pode ser subestimada. Quando você tem adultos que estão entrando em salas de aula para serem pais-professores, pais como membros do conselho ou em comitês, a Disciplina Positiva é necessária como uma língua comum. Há um entendimento, sobretudo nas escolas em que os pais participam, de que as *crianças são fáceis; os pais é que são difíceis*. Eu tenho sido testemunha de coisas que dão errado quando não temos uma linguagem positiva comum. A nossa abordagem escolar inclui não apenas os professores e alunos, mas também as famílias, porque elas são uma parte integrante de como a nossa escola funciona.
>
> Dois importantes princípios da Disciplina Positiva, *ter tempo para treinar* e *ensinar aos adultos o que fazer*, bem como a utilização das nossas reuniões mensais de educação de pais, que funcionam como reuniões de classe para adultos, criaram um ambiente de aprendizagem paralelo para nós. Os pais podem realmente ter uma noção do que os seus filhos estão vivenciando na sala de aula. Criar um ambiente de Disciplina Positiva na escola foi apenas o nosso primeiro passo. Proporcionar educação parental contínua para os adultos e também certificar-se de que, como uma escola, nossos pais estão sentindo *que são capazes* de ajudar, contribuir, participar e são *realmente necessários* para ajudar a criar um ambiente positivo de aprendizagem para todos os alunos, foram componentes-chave secundários.
>
> Por meio da participação dos pais, temos encontrado soluções para a maioria dos problemas que afligem as escolas tradicionais em razão da falta de recursos financeiros ou de pessoal. A "força dos pais" é criativa, apaixonada e consistente – concentramo-nos em soluções e em encontrar maneiras de fazer as coisas acontecerem. Inevitavelmente, essa energia da Disciplina Positiva é transportada para sua vida doméstica. O mundo inteiro do aluno muda para melhor, e assim acontece com todo o *campus*.
>
> *Cathy Kawakami, treinadora certificada em Disciplina Positiva, San Jose, Califórnia, Estados Unidos*

Outra opção que empodera os alunos é fazer as Perguntas que Estimulam a Curiosidade. Tanto um pai como um professor pode perguntar: "Quais são seus objetivos? Como uma boa educação poderia ajudá-lo a atingir seus objetivos? Se a lição de casa é um requisito para uma boa educação, como você pode elaborar um plano de lição de casa para que ela o ajude a atingir seus objetivos?" Mais uma vez: as crianças ficam mais propensas a cooperar quando são respeitosamente envolvidas e veem benefício pessoal.

Alguns professores adaptam a lição de casa para o aluno. Algumas crianças precisam de muita prática; outras precisam de mais desafio; outras ainda ficam sem lição porque tiraram notas altas nas provas-surpresa.

Os professores também podem definir a sua própria política sobre o que fazer se a lição de casa não estiver feita. Talvez um professor possa usar a técnica do "primeiro isto, então aquilo" – primeiro a lição de casa, depois, o tempo livre. Ou os professores podem sugerir um grupo de estudos, que se reúna na escola, para fazer a lição de casa; assim, as crianças teriam a oportunidade de fazer a lição de casa e conseguir ajuda se precisarem. Alguns professores têm o canto da lição de casa em suas salas de aula, onde as crianças ajudam umas às outras com as lições. Alguns professores sugerem, para alunos mais velhos, fazer lição em grupo.

Uma aluna de 15 anos contou que sua professora sugeriu que ela e outra aluna estudassem juntas para as provas finais. A aluna disse que, por conta própria, ela não teria pensado em pedir a alguém para estudar com ela, porque ela não teria se sentido confortável. As duas meninas se ajudaram nos estudos, e ambas acabaram com notas melhores do que elas teriam de outra forma. Quando estavam juntas, elas estudavam, ao passo que, por conta própria, não teriam feito muita coisa.

Alunos, professores e pais não têm de sofrer para alcançar a excelência acadêmica. Quando a aceitação e a importância são consideradas tão primordiais quanto a excelência acadêmica, todos se beneficiam. Quando todas as partes praticam o respeito mútuo e a solução conjunta de problemas, os alunos dão o seu melhor. Quando a responsabilidade pela lição de casa é colocada diretamente sobre a criança, a verdadeira aprendizagem pode acontecer. Esperar que as crianças sejam responsáveis, em vez de esperar que seus pais as façam prestar contas, produz jovens capazes. Isso não quer dizer que os pais e os professores não possam ajudar as crianças a ter sucesso nas lições de casa. Quando o foco está em ajudar as crianças que ajudam a si mesmas, todo mundo sai ganhando.

11

OITO HABILIDADES PARA REUNIÕES DE CLASSE: PARTE 1

O paraíso poderia ser alcançado se o homem soubesse como aplicar seu conhecimento em benefício de todos.

Rudolf Dreikurs

O debate sobre reunião de classe é contínuo entre muitos professores e também entre professores de Disciplina Positiva. Em uma ponta do espectro, alguns acreditam em implementar a reunião de classe no primeiro dia e apresentar e ensinar passo a passo os conceitos e habilidades de Disciplina Positiva enquanto os alunos estão sentados em círculo. Em outra ponta do espectro, há aqueles que acreditam que as reuniões de classe são mais efetivas depois que o professor investiu tempo "preparando o terreno",[1] primeiramente ensinando e usando habilidades de Disciplina Positiva em sua sala. Somente então eles iniciam as reuniões de classe.

Alguns professores acham que as reuniões de classe são muito complicadas, consomem muito tempo ou são desnecessárias. Outros acreditam que, em longo prazo, economizam tempo e é a melhor maneira de ajudar as crianças a aprenderem as habilidades de que precisam para obter sucesso, tanto academicamente como em suas vidas.

Claro que nós somos suspeitas e estamos a favor da reunião de classe, porque sabemos que as crianças são excelentes ajudantes e solucionadoras de problemas quando essas habilidades lhes são ensinadas e elas têm a oportunidade de usá-las todos os dias. Nós deixaríamos de acreditar nisso se não tivés-

---

[1] O manual *Positive Discipline in the School and Classroom Teachers' Guide: Activities for Students*, de Teresa LaSala, Jody McVittie e Suzanne Smitha, em www.positivediscipline.org, está repleto de atividades para ensinar habilidades de Disciplina Positiva em sala de aula.

semos ouvido de tantos professores os benefícios que eles vivenciaram por meio das reuniões de classe.

O poder da reunião de classe é demonstrado pelos seguintes exemplos: Frank Meder, do distrito escolar da cidade de Sacramento, leciona em uma escola de Ensino Fundamental I onde o nível de violência era tão alto que o faxineiro tinha que, frequentemente, limpar sangue na escola. O vandalismo era tão predominante que um policial tinha de ser chamado semanalmente. Frank confessou que ele tinha dor de estômago todos os domingos por volta das 13h00 porque ele tinha pavor de retornar à sala de aula na segunda-feira de manhã. No momento em que Frank decidiu tentar a reunião de classe, ele estava mais desesperado do que esperançoso. Ele duvidou que seus alunos indisciplinados pudessem aprender cooperação e habilidades para resolver problemas, mas ficou feliz ao ver que estava errado.

Nós aprendemos com Frank quão importante pode ser criar várias estruturas e ordem para as reuniões de classe, de modo que os alunos tenham a liberdade de participar respeitosamente. Ele é muito bom em agir de maneira firme e gentil. No começo, Frank definiu os lugares em que as crianças se sentariam no círculo, para separar aquelas que poderiam ter dificuldade de sentar uma perto da outra. Então, ele dedicou seu tempo para ensiná-las as habilidades de reuniões de classe.

No ano em que Frank começou as reuniões de classe, a diretora percebeu que, apesar de o histórico daquele ano ter registrado 61 suspensões por briga, nenhum aluno da lista era da sala de Frank. Ela também notou que os alunos de Frank iam à escola com mais regularidade e estavam melhorando academicamente. Quando ela participou de uma das sessões de reunião de classe, percebeu que esta era uma ótima ferramenta preventiva. Ela pediu a Frank que mostrasse a todos os professores da escola como conduzir reuniões de classe.

No ano seguinte, todos os professores, do primeiro ao sexto ano, estavam fazendo reuniões de classe pelo menos quatro vezes por semana. Ann Platt, em sua dissertação de mestrado pela California State University, em Sacramento, Estados Unidos, relatou que naquele ano a escola registrou apenas quatro suspensões, em comparação com 61 no ano anterior, e apenas dois casos de vandalismo foram registrados, em comparação com 24 casos no ano anterior.[2]

---

2   Ann Roeder Platt, *Efficacy of Class Meetings in Elementary Schools*, dissertação de mestrado, California State University, 1979.

Em outro local, uma escola teve problemas sérios com pichações e teve de contratar pintores para repintar as paredes. Todas as vezes que uma parede era retocada, as crianças pichavam de novo. Um dos professores sugeriu perguntar ao conselho de alunos as suas ideias de como resolver o problema. Os alunos decretaram que, quando alguém fosse pego escrevendo na parede, outro aluno iria supervisionar enquanto ele repintava a parede. Não é surpresa que o problema com pichação tenha desaparecido.

Esses são apenas alguns dos muitos professores que vivenciaram grande sucesso porque começaram a usar as reuniões de classe. Se um professor está disposto a ensinar aos alunos muitas habilidades valiosas, seu trabalho frequentemente se torna mais fácil e mais divertido. Ajudar os alunos a vivenciarem aceitação e senso de importância é a coisa mais importante que um professor pode fazer. Reuniões de classe são uma das maneiras mais poderosas e eficientes (em relação a economizar tempo) para ensinar aos alunos que as suas preocupações e contribuições são valiosas, e que eles têm a capacidade de fazer a diferença e sentir um senso de autoria por meio do envolvimento.

Mesmo que em certos momentos seja desafiador começar reuniões de classe, nós encorajamos sua implementação. O caminho mais seguro para o sucesso é investir tempo em treinamento. Alcançar a proficiência nas Oito Habilidades, que podem ser encontradas neste capítulo e no Capítulo 12, ajudará a criar reuniões de classe nas quais os alunos vão querer estar mais envolvidos. Você já vem ensinando a seus alunos sobre como resolver problemas, interesse social, respeito mútuo, encorajamento e cooperação. Todas essas habilidades podem ser melhoradas e praticadas durante as reuniões de classe.

Pode-se levar desde três ou quatro reuniões de classe até dois meses formando um círculo para ensinar e apresentar as Oito Habilidades para os alunos. Eles não vão conseguir aprender habilidades sociais e emocionais em poucas semanas. Eles precisam de prática diária – assim como fazem para alcançar excelência na parte acadêmica. Se você introduzir as habilidades gradualmente, os alunos ficarão menos inquietos e poderão praticar algumas por vez. Inicie o processo dizendo aos alunos quais habilidades eles irão aprender.

As Oito Habilidades para reuniões de classe

1. Formando um círculo
2. Praticando reconhecimentos e elogios

3. Respeitando as diferenças
4. Usando habilidades respeitosas de comunicação
5. Focando em soluções
6. Encenando e levantando ideias
7. Utilizando a pauta e o formato da reunião de classe
8. Compreendendo e utilizando os Quatro Objetivos Equivocados

HABILIDADE 1 - FORMANDO UM CÍRCULO

Alguns professores não querem ter o trabalho de ter de formar um círculo com seus alunos. Outros acreditam que não funcionará porque as crianças estão sentadas à mesa ou em suas carteiras. Nós testemunhamos muitas salas de aula nas quais as crianças afastaram as carteiras e mesas para o lado e fizeram um círculo com as cadeiras em 60 segundos ou menos, então colocaram tudo de volta no lugar no mesmo espaço de tempo. Um dos benefícios é quanto de cooperação e habilidade os alunos aprendem ao completar tarefas simples. Entretanto, o benefício principal é que sentar em círculo gera uma atmosfera de respeito, já que todos podem ver uns aos outros e passar o "objeto da fala", para que cada um tenha a chance de falar ou passar a vez. Alguns alunos são capazes de dominar a habilidade de formar um círculo em uma ou duas tentativas. Outros podem levar mais tempo. Pode ser que seus alunos já sejam proficientes em formar um círculo. Caso ainda não sejam, você pode usar esta atividade para lhes dar prática.

ATIVIDADE: FORMANDO UM CÍRCULO

OBJETIVO

Criar uma atmosfera democrática de respeito mútuo em que todos tenham direitos iguais de falar e de serem ouvidos.

COMENTÁRIO

A maneira ideal de criar uma atmosfera de respeito é arrumar todas as cadeiras em um círculo sem nenhuma mesa ou carteira na frente delas. Essa configuração possibilita que todos se vejam. Isso também lembra os alunos que a reunião de classe é diferente e um momento especial na escola.

INSTRUÇÕES

1. Explique o objetivo e faça comentários usando suas próprias palavras.
2. Decida se os alunos se sentarão no chão ou nas cadeiras. É importante que você se sente no mesmo nível deles. Depois de falar para os alunos onde o círculo deve ser formado, escreva os seguintes títulos no quadro: RÁPIDA, SILENCIOSA E SEGURA.
3. Pergunte aos alunos que ideias eles têm para formar um círculo de forma rápida, silenciosa e segura, e escreva-as no espaço de cada categoria. Se os móveis devem ser deslocados, mencione o que deve ser feito em cada categoria para realizar isso.
4. Depois que os alunos levantarem ideias, pergunte se há alguma que seja impraticável, desrespeitosa ou que precise ser eliminada, e risque-a. Pergunte quantos deles estariam dispostos a seguir as ideias que restaram.
5. Peça a eles que estimem quanto tempo levarão para formar um círculo usando o plano que eles acabaram de criar. Escreva as estimativas no quadro. Peça a um voluntário que cronometre quanto tempo essa tarefa realmente levará.
6. Permita que os alunos testem o plano e veja quanto tempo leva.
7. Quando o círculo estiver formado, pergunte: "Alguém observou algo que pode nos ajudar a melhorar da próxima vez?" Encoraje os alunos a discutir o processo. Sem perceber, eles já estarão tendo a sua primeira discussão, o que definirá o tom de futuras reuniões. Os alunos aprendem ao fazer, e não por meio do sermão que recebem, pois você está permitindo que eles se envolvam.
8. Pergunte aos alunos se eles gostariam de colocar a sala de volta à maneira como estava e veja se eles conseguem reduzir o tempo. Sente-se e se surpreenda com o quanto os alunos podem aprender ao fazer, discutir e tentar novamente. Alguns professores pedem aos seus alunos que continuem praticando até que eles finalizem o círculo em 60 segundos ou menos.

PLANO ALTERNATIVO 1

Um plano alternativo para realizar esta atividade é pular os Passos 3 a 6 e permitir que os alunos arrumem a sala sem nenhuma instrução. Usando este método, as salas, frequentemente, acabam sendo arranjadas de maneiras diferentes. Por exemplo, uma turma formou um quadrado com as mesas, e os alunos sentaram-se em cima das mesas. Outra turma empilhou todas as mesas em um canto e formou um círculo com as cadeiras. Outra turma empurrou as mesas e as cadeiras para o fundo da sala e sentou-se em círculo no chão.

PLANO ALTERNATIVO 2

Algumas crianças precisam de mais ordem, especialmente no começo, então os professores criam um quadro com os assentos marcados no círculo. Isso depende da sua preferência.

COMENTÁRIO

Seja qual for a sua preferência, permita que os alunos sejam criativos. Se a primeira tentativa deles não funcionar, discuta as razões pelas quais não funcionou e deixe que eles criem novas possibilidades. Essa é uma ótima oportunidade para as crianças aprenderem que não tem problema cometer erros e aprender com eles, tentando novamente com novas informações.

É importante que os alunos, assistentes de sala e professores estejam sentados em círculo antes de continuarem. Se a turma decidir se sentar em círculo no chão, o professor deve se sentar no mesmo nível, junto com os alunos.

HABILIDADE 2 – PRACTICANDO ELOGIOS E RECONHECIMENTO

Iniciar a reunião de classe com um tom positivo é um tremendo impulso no senso de aceitação e importância de todo mundo. Alunos e professores gostam de escutar coisas boas sobre eles. Como muitas crianças (e alguns adultos) não estão acostumados a fazer e receber reconhecimentos, sugerimos aproveitar a primeira reunião de classe (a não ser que leve muitas reuniões para formar um círculo) para ensiná-los como fazer. Uma maneira de ensinar reconhecimentos é pedir aos alunos que se lembrem de quando alguém os fez se sentirem bem sobre si mesmos. Os alunos podem se revezar e compartilhar exemplos com o grupo.

Então, peça para eles pensarem em algum agradecimento que gostariam de fazer a um colega. Dê exemplos. Talvez eles queiram agradecer um colega por ter emprestado um lápis ou ter ajudado com a lição. Talvez eles queiram agradecer alguém por ter jogado um jogo, caminhado ou tomado lanche com eles. Não demora muito até que os alunos peguem o jeito e possam pensar em algo que eles apreciem.

Alunos do Ensino Médio parecem achar as palavras *reconhecimento* e *agradecimentos* mais apropriadas do que *fazer elogios*. Por algum motivo, tais palavras parecem ser menos embaraçosas para eles. Segue uma atividade para ensiná-los a elogiar.

ATIVIDADE: PRATICANDO ELOGIOS E RECONHECIMENTO

OBJETIVO

Começar a reunião de classe com um tom positivo e ensinar as habilidades de vida importantes relacionadas a fazer e receber elogios.

COMENTÁRIO

No começo, os alunos podem se sentir desconfortáveis ou pensar que fazer elogios é algo bobo. Se você tiver fé no processo e der a eles a oportunidade de praticar, as suas habilidades se desenvolverão, assim como a atmosfera positiva na sala de aula.

INSTRUÇÕES

1. Explique aos alunos que pode ser estranho fazer e receber elogios, pois eles não estão acostumados. Faça uso da analogia de aprender a andar de bicicleta. Pergunte aos alunos quantos deles teriam aprendido a andar de bicicleta se tivessem desistido porque era estranho no começo.
2. É benéfico dar exemplos de elogios sarcásticos ou de frases que podem soar como um reconhecimento, mas que na verdade não estão sendo tão encorajadoras. Por exemplo, diga: "Eu gostaria de agradecer você por dividir o seu doce comigo, porque normalmente você é tão egoísta." Então pergunte: "O que há de errado com esse reconhecimento?"

3. Passe algum tempo analisando como receber um elogio com um simples "obrigado", para que a pessoa que elogiou saiba que foi ouvida. Quando questionados: "Qual é a maneira educada de responder quando alguém faz algo para você?", seus alunos saberão a resposta.
4. Peça que todos pensem em algo que tenham feito e pelo qual gostariam de ser reconhecidos. Dê um ou dois minutos para que os alunos pensem em algo. Peça aos alunos que levantem a mão à seguinte pergunta: "Quantos de vocês conseguiram pensar em algo?". Se alguns alunos não conseguiram pensar em nada, pergunte ao restante dos alunos: "Quem notou fulano fazendo algo para alguém, ou notou alguma melhora em algo que ele fez e que merece um reconhecimento?". Faça isso até que todos tenham algo em mente.
5. Faça uso de um "objeto da fala", ou seja, um bastão, um saquinho de pano de arroz ou outro objeto que possa ser passado no círculo. Diga aos alunos que, quando o objeto é passado para alguém, essa pessoa irá dizer pelo que ela gostaria de ser reconhecida. Então, ela passa o objeto da fala para o colega à sua esquerda, o qual lhe faz um elogio. Por exemplo, Whitney diz que ela deseja que alguém a reconheça pelo esforço que está fazendo para não falar fora da sua vez. Zack, o colega sentado do seu lado esquerdo, então diz: "Eu gostaria de reconhecer a Whitney por se esforçar para não falar fora da sua vez." Então Whitney responde dizendo: "Obrigada." Depois disso, Zack diz pelo que gostaria de ser reconhecido antes de passar o objeto da fala para a pessoa à sua esquerda.
6. Explique aos alunos que eventualmente eles se sentirão confortáveis para encontrar motivos pelos quais um irá reconhecer o outro sem a ajuda do professor. Então os reconhecimentos soarão mais sinceros. Esta atividade apenas os auxilia a iniciar o processo de fazer e receber reconhecimentos.

EXTENSÃO: FAZER, RECEBER OU PASSAR

1. Uma vez que os alunos se sentem confortáveis para fazer e receber reconhecimentos, ensine que no futuro eles serão capazes de fazer, receber ou passar a vez. Explique: "Quando você estiver segurando o objeto da fala em suas mãos, você pode fazer um reconhecimento, pedir para ser reconhecido por algo e rapidamente escolher alguém

> 2. Passe o objeto da fala pelo círculo para que os alunos possam praticar fazer, receber ou passar. Muitos alunos estão passando a vez? Limite as escolhas para fazer ou receber.
>
> **COMENTÁRIO**
>
> Nós acompanhamos várias salas de aula que implementaram esta atividade. É impressionante testemunhar alunos que se sentem confortáveis para pedir por um elogio quando precisam de um. Ainda mais impressionante é a resposta – muitos alunos levantam as mãos para mostrar sua vontade de elogiar qualquer um que pedir, mesmo os alunos que não estavam sendo bem tratados antes de a reunião de classe ser implementada.

Mais dicas sobre elogios efetivos

Algumas vezes, os alunos gostam tanto dessa atenção que eles passam um longo tempo escolhendo alguém para fazer um elogio. Se isso acontecer, coloque o problema na pauta de reunião e peça aos alunos que pensem em uma solução. Eles normalmente têm boas ideias, como dar somente três segundos. Claro que o professor poderia ter definido essa regra, mas não seria tão efetivo quanto delegar a situação para as crianças resolverem.

No começo, as crianças reconhecem as outras pela roupa que estão vestindo ou por sua aparência. Permita que isso aconteça por um tempo até que elas estejam confortáveis com isso. Então, fale que elas estão prontas para a próxima etapa e ensine a importância de reconhecer as pessoas pelo que elas fizeram ou realizaram, em vez das roupas que estão vestindo ou sua aparência. Você também pode ensinar os alunos a serem específicos. Por exemplo, se um aluno disser: "Eu quero te reconhecer por ser meu amigo", pergunte: "O que ele fez que demonstra que ele é seu amigo?" Se o aluno parece perplexo, dê um exemplo: "Eu quero te reconhecer por ter andando até a escola comigo." Se alguém diz: "Você é legal", você pode ajudar o aluno a ser mais específico sugerindo: "Você é legal porque _____", ou pedindo ao aluno que dê um exemplo de algo que a pessoa fez que foi legal.

Se os alunos tiverem dificuldade de pensar em reconhecimentos, lembre-os quão fácil seria pensar em uma crítica ou humilhação em vez de um reconhecimento. Um professor disse à sua turma: "Vocês não acham vergonhoso ver o quão fácil é sermos negativos e o quão difícil é sermos positivos? Não seria bem melhor se tivéssemos mais positividade em nossas vidas? Vamos continuar praticando até que fique mais fácil."

Se alguém fizer um reconhecimento que é, na verdade, uma crítica, pergunte àquela pessoa se ela gostaria de tentar de novo ou pedir ajuda para transformar a crítica em um reconhecimento. Se a pessoa que fez um elogio sarcástico não conseguir pensar em uma maneira de mudá-lo, peça sugestões da turma. Isso exemplifica o princípio de ajudar em vez de magoar.

Uma professora do Ensino Fundamental I ajudou seus alunos a aprenderem sobre reconhecimentos sugerindo que os alunos fossem cuidadosos para não dizerem coisas que pudessem ferir os sentimentos dos outros. Os alunos não tiveram dificuldade de aprender esse conceito e foram capazes de compartilhar exemplos de como eles se sentiram quando alguém "feriu seus sentimentos".

Muitos professores que fazem reuniões de classe regularmente nos dizem que os alunos reclamam quando essa atividade é cancelada simplesmente porque não há nada na pauta da reunião. Os alunos sugerem: "Bem, nós poderíamos ao menos fazer os reconhecimentos."

Alguns professores contestam que a prática do reconhecimento não parece sincera. Tenha em mente que as atividades que sugerimos têm o intuito de dar a oportunidade para praticar. A estranheza desaparece e a sinceridade toma conta conforme os alunos aprendem a habilidade de fazer e receber elogios.

Alguns alunos e professores sempre começam suas reuniões de classe com os elogios, outros se cansam dos elogios e começam com uma atividade alternativa de aquecimento, como falar sobre seu passatempo preferido, o que mais gosta da escola, os seus desejos, a sua comida favorita, o seu animal favorito etc.

HABILIDADE 3 - RESPEITANDO AS DIFERENÇAS

Mesmo que aprender sobre as diferenças (e respeitá-las) seja uma das Oito Habilidades para a reunião de classe, essa próxima habilidade está diretamente relacionada às habilidades de comunicação (ver Cap. 6). Quando os alunos aprendem a compreender as diferenças e a respeitá-las, eles têm mais facilidade de se comunicar de forma significativa com os outros.

É impossível entender a natureza humana e seu comportamento sem compreender a lógica pessoal. Por mais surpreendente que pareça, não há duas pessoas que, ao olharem para uma coisa ou uma situação, cheguem à mesma conclusão. Você já comparou histórias da sua própria família de origem e ficou chocado ao descobrir que seus irmãos tinham memórias diferentes das suas sobre a mesma situação? Isso é lógica pessoal – nossa conclusão única sobre o que está acontecendo e o que isso significa.

Muitos adultos alegam compreender que cada um é diferente, pensa diferente e tem objetivos e percepções diferentes. Mas, quando se trata do seu próprio comportamento ao lidar com as crianças, os professores, frequentemente, agem como se todas as crianças devessem ouvi-los exatamente do mesmo jeito, entender e aceitar o que eles falam e seus objetivos exatamente do mesmo jeito e se comportar da mesma maneira – obedientemente.

Esta atividade é uma maneira divertida de encorajar os alunos a entenderem e respeitarem as diferenças. (Talvez os professores queiram testar esta atividade entre si durante uma reunião do corpo docente. Não só é divertida, mas também ensina muito sobre cada um dos participantes.)

ATIVIDADE: HÁ UMA FLORESTA LÁ FORA

OBJETIVOS

Ajudar os alunos a entenderem que nem todo mundo é igual ou pensa da mesma maneira.

Ensinar aos alunos a importância de construir uma equipe ao demonstrar apreço pelos diferentes pontos fortes de cada um.

MATERIAIS

Fotos de um leão, uma águia, uma tartaruga e um camaleão (em vez de fotos, você pode usar animais de pelúcia ou escrever o nome do animal em um grande pedaço de papel).

Quatro folhas para cavalete (escrever com antecedência o nome de cada animal no topo da folha, e o nome dos outros três animais no meio da folha).

Pincel marcador

INSTRUÇÕES

1. Pendure cada folha em diferentes cantos da sala. Coloque um pincel marcador próximo de cada folha.

Queremos ser o
leão porque

Não queremos ser_____ porque

Queremos ser a
águia porque

Não queremos ser_____ porque

Queremos ser a
tartaruga porque

Não queremos ser_____ porque

Queremos ser o
camaleão porque

Não queremos ser_____ porque

2. Diga a seus alunos que vocês irão jogar um jogo que ajuda as pessoas a entenderem que nem todo mundo é igual ou pensa da mesma maneira. Isso irá demonstrar que há pelo menos quatro maneiras diferentes de ver as coisas.
3. Pergunte: "Quantos de vocês, às vezes, acham que há sempre uma resposta certa ou errada? Quantos de vocês acham que há somente uma maneira de ver as coisas? Quantos de vocês, às vezes, se sentem envergonhados ao levantar a mão porque acham que todos sabem a resposta, menos você?"
4. Mostre a eles as fotos dos quatro animais. Pergunte: "Se você pudesse ser um desses animais por um dia, qual deles você gostaria de ser?" Quando os alunos decidirem, peça que formem quatro grupos, um para cada animal. (Caso um animal não seja escolhido por nenhum aluno, peça a pelo menos três voluntários de outros grupos para escolherem aquele animal, somente para esta atividade fazer sentido. Depois, você poderá mostrar como todos podem encontrar pontos positivos ou negativos em qualquer animal, se for nisso que eles focarem.)
5. Peça aos quatro grupos que fiquem em pé, próximos aos papéis pendurados na parede que se referem ao seu animal escolhido.
6. Peça que, em cada grupo, alguém seja responsável por escrever na folha uma lista de características que os membros do grupo gostam naquele animal (essas características devem ser escritas na parte de cima da folha). Então, peça que listem logo abaixo dos outros três animais restantes (na parte de baixo da folha) todas as razões pelas quais eles não escolheram ser aquele animal.
7. Pendure as folhas na parede, uma ao lado da outra. Peça a um voluntário de cada grupo que leia todas as razões pelas quais eles queriam ser aquele animal. Então, peça a um outro voluntário de cada um dos grupos para ler todos os motivos pelos quais eles escolheram não ser aquele mesmo animal. Esteja preparado para risadas e comentários dos outros grupos, e lembre-os de que eles terão a oportunidade de compartilhar seus pensamentos e ideias depois que cada grupo tiver a sua vez.

COMENTÁRIO

Seguem algumas respostas de várias turmas do Ensino Médio. Você pode usá-las como um guia para seus alunos.

8. Depois que todos os grupos apresentarem suas razões, reflita com os alunos sobre o que eles aprenderam com esta atividade (as respostas podem incluir: "As pessoas veem as coisas de maneiras diferentes", "O que uma pessoa vê como algo ruim, outra pode ver como uma coisa boa", "Todos têm pontos fortes e fracos"). Continue a reflexão e ressalte que qualquer qualidade pode ser positiva ou negativa e que não há uma só maneira correta de ser.
9. Reflita sobre as vantagens de ter algumas das qualidades de cada animal representado. Quando seus alunos tiverem aprendido habilidades de comunicação e respeito à lógica pessoal, ressaltada neste capítulo, eles saberão como criar uma atmosfera de respeito que garante reuniões de classe eficazes. O Capítulo 4 trata dos Quatro Objetivos Equivocados, o que oferece aos alunos (e professores) uma compreensão mais aprofundada da lógica pessoal.

HABILIDADE 4 - USANDO HABILIDADES RESPEITOSAS DE COMUNICAÇÃO

No Capítulo 6, apresentamos muitas habilidades respeitosas de comunicação e atividades. Você pode rever esse capítulo e, se ainda não tiver feito, faça uso daquelas atividades para ensinar habilidades comunicativas para os alunos. Ou você pode ensinar habilidades comunicativas como: ser um bom ouvinte, revezar e se expressar de maneira clara durante a reunião de classe.

ATIVIDADE: COMO SER UM BOM OUVINTE

1. Peça a um voluntário que compartilhe uma experiência interessante, como as suas férias favoritas. Peça aos alunos que levantem as mãos e balance-as como se quisessem falar.
2. Peça para que todos parem. Reflita com a turma e com o voluntário sobre o que estavam sentindo. Pergunte quantos deles acham que ficar com as mãos levantadas balançando causa distração.

3. Depois, peça que o voluntário compartilhe sua história novamente, mas desta vez todos devem usar suas boas habilidades de escuta.
4. Novamente, reflita com o voluntário sobre a diferença do que está sentindo depois dessa experiência. Pergunte aos outros alunos como eles se sentiram agora e o que eles aprenderam.

Sempre que os alunos não estiverem prestando atenção durante as reuniões de classe, pergunte: "Quantos de vocês acham que estamos praticando boas habilidades de escuta? Quantos de vocês acham que não estamos praticando?" Os alunos podem escolher suas respostas levantando as mãos. Normalmente, nada mais precisa ser dito para que o problema seja corrigido, porque os alunos se tornam cientes do que estão fazendo por meio dessas Perguntas que Estimulam a Curiosidade (veja a p. 111).

ATIVIDADE: COMO REVEZAR

OBJETIVO

Evitar problemas gerados por poucas habilidades de escuta durante uma discussão ou reunião de classe.

INSTRUÇÕES

1. Escolha um objeto, como um saquinho de pano com arroz, um microfone de brinquedo ou um outro objeto que possa ser passado de aluno para aluno.
2. Quando o aluno tiver o objeto em suas mãos, ele pode fazer seus comentários, dar sugestões ou passar a vez.

COMENTÁRIO

Para os alunos quietos e reservados, é empoderador ter algo tangível que simbolize o poder pessoal e que dê a eles a opção de falar se eles quiserem. Muitos professores têm observado que o único momento em que os alunos compartilham seus pensamentos e ideias durante a reunião de classe é quando eles têm o objeto da fala em suas mãos.

3. Faça o objeto ser passado pelo círculo duas vezes. A segunda rodada dá a chance para que os alunos mais quietos pensem sobre o que eles gostariam de falar enquanto escutam os outros. Isso também aumenta as chances de levantar ideias mais efetivamente (veja o Cap. 12), porque os alunos que já tiveram a sua vez podem ter uma outra ideia enquanto escutam os outros. Isso não leva tanto tempo quanto os professores temem.

No começo, alguns alunos precisam de mais assistência do que outros. A assistência pode tomar forma de Perguntas que Estimulam a Curiosidade: "Quantos de vocês acham que é importante nos revezarmos para que todos sejam ouvidos com respeito? Quantos de vocês gostariam de ter uma sala cheia de pessoas que possam ajudar umas às outras com os problemas? Quantos de vocês acham que podemos encontrar soluções para os problemas em vez de usar punição e humilhação?" O fato de os alunos serem questionados, em vez de serem informados, e terem a oportunidade de levantar as mãos para mostrar seu consentimento dá a eles um senso de inclusão e autoria.

DISCIPLINA POSITIVA EM AÇÃO

Depois de passar dois dias no treinamento de Disciplina Positiva, eu usei as Oito Habilidades no ano passado para preparar a reunião de classe pela primeira vez. Foi emocionante assistir aos alunos tomando decisões sozinhos e permitir que eles cultivem liderança na sala de aula. Eu senti que, com esse programa, há lugar para cada um na sala de aula. Eu notei que alunos que não tiveram notas altas durante o ano ainda se sentiam confiantes na sala e que eles poderiam ter a ajuda dos outros alunos. Isso realmente constrói um senso de comunidade dentro da sala de aula e permite que cada turma assuma a sua própria personalidade.

Julie Gilbert, professora de espanhol,
Distrito escolar unificado San Ramon Valley

Praticar, praticar, praticar

A maioria dos professores acredita que habilidades de comunicação são tão importantes quanto as acadêmicas e, mesmo assim, muitos não oferecem a prática diária para que os alunos possam aperfeiçoar essas habilidades. As reuniões de classe oferecem aos alunos oportunidades de praticar habilidades de comunicação de maneira efetiva e de forma regular. Os professores que descobriram o valor disso ficam encantados ao escutar seus alunos usando habilidades de comunicação durante todo o dia na escola.

• • •

Você agora está na metade do caminho das Oito Habilidades para reuniões de classe. As outras quatro habilidades serão explicadas no próximo capítulo.

12
OITO HABILIDADES PARA REUNIÕES DE CLASSE: PARTE 2

O fator crucial é compartilhar a responsabilidade, um processo de reflexão sobre os problemas que surgem para discussão e uma exploração das alternativas. Responsabilidade compartilhada é mais bem realizada com a pergunta: "O que podemos fazer com relação a isso?"

Rudolf Dreikurs

As quatro habilidades para reuniões de classe a seguir focam nos métodos não punitivos para a resolução de problemas. Provavelmente levará muitas reuniões de classe para ensinar essas habilidades, mas o tempo será bem gasto quando você observar quanto as crianças se tornam hábeis na resolução de problemas.

HABILIDADE 5 – FOCANDO EM SOLUÇÕES

A eficácia de se concentrar em soluções em vez de punição agora parece tão óbvia para nós que ficamos confusos por não parecer óbvio para outras pessoas. Os alunos costumam concordar com a ideia de se concentrar em soluções imediatamente após participarem desta atividade.

ATIVIDADE: SOLUÇÕES *VERSUS* CONSEQUÊNCIAS LÓGICAS

OBJETIVO

Ajudar professores e alunos a enxergar o valor de se concentrar em soluções em vez de consequências.

COMENTÁRIO

As consequências lógicas costumam ser mal utilizadas. Muitos professores e alunos tentam disfarçar a punição, chamando-a de consequência lógica. Uma maneira de evitar esse problema é concentrar-se em soluções em vez de consequências.

INSTRUÇÕES

1. Escreva o título "Consequências lógicas" no canto superior esquerdo de uma grande folha de papel.
2. Peça aos alunos para fingirem que os nomes de dois alunos foram colocados na pauta da reunião de classe por causa de atraso. (Você pode focar em atraso ao voltar do intervalo, para alunos do Ensino Fundamental I, ou em atraso ao chegar à escola, para alunos do Ensino Médio.) Peça para a turma levantar ideias de consequências lógicas para esse problema. Escreva essas ideias sob o título "Consequências lógicas".
3. Escreva o título "Soluções" no canto superior direito da folha de papel. Peça aos alunos para se esquecerem das consequências e levantarem ideias de soluções que irão ajudá-los a vir para a aula na hora certa. Escreva essas ideias sob o título "Soluções".
4. Discuta as duas listas. Elas são diferentes? Será que uma lista parece punição? Será que uma lista se concentra mais no passado do que em ajudá-los no futuro? A energia estava diferente quando os alunos buscaram soluções do que quando eles focaram nas consequências?
5. Peça a dois alunos para fingirem que são os alunos que chegavam atrasados e peça-lhes para escolher algo de qualquer lista que eles acham que vai ajudá-los a chegar no horário. De que lista eles escolheram?
6. Pergunte aos alunos o que eles aprenderam com esta atividade.

Aqui está um exemplo de respostas de uma turma. A primeira lista foi criada por alunos que focaram nas consequências lógicas para os alunos atrasados. A segunda lista foi criada pelos mesmos alunos, que foram convidados a parar de pensar nas consequências e a se concentrar em soluções para ajudar seus colegas a chegarem na hora certa.

Consequências lógicas
- Escrever seus nomes na lousa.
- Ficar depois da aula os mesmos minutos que atrasou.
- Descontar os mesmos minutos do intervalo do dia seguinte.
- Ficar sem intervalo no dia seguinte.
- O professor pode gritar com eles.

Soluções
- Alguém poderia tocar nos ombros deles quando o sinal toca.
- Todo mundo poderia gritar junto: "Sinal!"
- Eles poderiam brincar mais perto do sinal.
- Escolher um amigo para lembrá-los de que é hora de entrar.
- Eles poderiam observar os outros para ver quando eles estão indo para a sala.
- Ajustar o sinal para tocar mais alto.

Uma das muitas maneiras de ensinar os alunos a se concentrar em soluções é lembrá-los dos Três "R" e Um "U": relacionadas, respeitosas, razoáveis e úteis. (Veja o Cap. 2 e também o Cap. 7, para uma versão mais detalhada.)

Às vezes, é importante simplesmente confiar no processo e deixar que os alunos cometam erros. Eles devem focar no progresso, não na perfeição. Por exemplo, uma turma decidiu que os alunos que balançavam suas cadeiras e ficavam em duas pernas deveriam ficar atrás da cadeira durante o resto da reunião de classe. A classe inteira concordou que essa seria uma solução útil.

No entanto, logo o problema foi colocado na pauta de novo. Eles decidiram que era muito complicado ter algumas pessoas em pé. Eles também decidiram ver se a discussão foi suficiente para resolver o problema. Deve ter sido, porque os alunos pararam de balançar suas cadeiras.

Confie no processo

Quando a punição é eliminada e as soluções alternativas são gentis e firmes ao mesmo tempo, os alunos aprendem a ter respeito por si mesmos e pelos outros e são motivados a mudar o seu comportamento porque experimentaram um senso de conexão. Eles ganham coragem, confiança e habilidades de vida que irão ajudá-los a viver com sucesso em nossa sociedade.

HABILIDADE 6 – ENCENANDO E LEVANTANDO IDEIAS

Depois de aprender as primeiras cinco habilidades para as reuniões de classe, os alunos estão prontos para aprender a encenar papéis e levantar ideias. Escolha um problema típico que você acha que proporcionará oportunidades para praticar essa habilidade, como furar a fila ou xingar. Lembre os alunos que, nessa reunião, a aprendizagem das habilidades de encenar e levantar ideias é mais importante do que realmente resolver o problema.

> ### DISCIPLINA POSITIVA EM AÇÃO
>
> Eu quero compartilhar uma história sobre uma colega, Bénédicte Amigou, que lecionava para crianças de 7 anos. Ela tinha uma sala de aula barulhenta e usava muito da sua energia para tentar acalmar os alunos. Depois de ter uma aula para pais comigo, Bénédicte começou a implementar a Disciplina Positiva e iniciou as reuniões de classe. Ela trabalha há 18 anos e disse que aquele primeiro dia de reunião foi o melhor dia de sua carreira. Na pauta, estava escrito como os alunos poderiam se acalmar na aula. Bénédicte perguntou como eles se sentiam quando ela falava para eles se acalmarem. Um aluno disse que queria ser cruel com ela. Ela disse que compreendia a ele e seus colegas e, em seguida, explicou que eles eram livres para falar sem serem julgados. No final, os alunos decidiram desenhar uma boca grande com um X por cima em um grande pedaço de papel. Se eles fizessem muito barulho, tudo o que ela tinha de fazer era mostrar a imagem para eles. Bénédicte ficou impressionada com as ideias de seus alunos e contou para eles que ela nunca, jamais, teria pensado em desenhar essa boca grande! E funcionou! A classe se acalma no minuto em que ela mostra o desenho.
>
> *Nadine Gaudin,*
> *membro da Positive Discipline Association na França*

Existem três benefícios principais na encenação:

1. É divertido. A maioria das crianças gosta de interpretar papéis e quer fazer isso toda hora, principalmente quando podem interpretar o professor.

2. Isso pode acrescentar informações e trazer compreensão acerca do problema.
3. Isso pode ter a mesma finalidade que a técnica de fazer uma pausa para se acalmar. A interpretação de papéis pode diminuir a raiva porque as crianças começam a se divertir com a encenação.

ATIVIDADE: ENCENAÇÃO

OBJETIVO

Aprender a encenar, uma habilidade que pode aumentar a eficácia da resolução de problemas.

COMENTÁRIO

Encenar dá aos alunos a oportunidade de se colocar no lugar de outra pessoa para aumentar a sua compreensão. Essa habilidade também cria um senso de diversão que os ajuda a ser mais positivos durante o levantamento de ideias.

INSTRUÇÕES

1. Escolha um problema, como furar fila, xingar ou chegar atrasado.
2. Antes de definir os papéis, pergunte quantos alunos já fizeram encenações antes. Saliente que encenar é como estar em uma peça de teatro, na qual os alunos fingem ser pessoas diferentes envolvidas na resolução de um problema.
3. É divertido fazer um jogo de adivinhação com os alunos para ver se eles podem adivinhar duas diretrizes secretas para encenações. Diga: "Eu tenho duas diretrizes secretas para encenações na minha cabeça. Quem quer adivinhar quais são?" Os alunos farão todos os tipos de suposições, como "ouvir", "se revezar", "fazer o que o professor diz" e "falar baixo". Reconheça suas contribuições, dizendo: "Essas são boas ideias e devemos usar todas elas. No entanto, as duas diretrizes secretas que eu tenho em minha mente são: primeira, exagerar e, segunda, se divertir." Os alunos quase nunca acham que pode haver uma regra que diz que eles têm de se divertir. Ao fazer suposições, os alunos se envolvem no processo de resolução de problemas, e você começa a aprender mais sobre o que eles pensam. Com alunos mais novos, pode ser necessário explicar o significado de exagero.

COMENTÁRIO

Visto que alguns alunos são vítimas do perfeccionismo da nossa sociedade, pode ser necessário dizer para não se preocuparem em encenar seu papel com perfeição. Explique que todo mundo vai aprender mais se os atores exagerarem nos comportamentos, como uma forma de acelerar a demonstração das experiências de vida. Lembre os alunos de que a encenação é uma oportunidade para aprender e para ajudar uns aos outros – não é um teste de perfeição.

4. Peça aos alunos que ajudem a organizar a encenação. Juntos, imaginem e descrevam o episódio em detalhes suficientes para que todos saibam como desempenhar os papéis das diferentes partes. Para convidá-los a dar detalhes, o professor precisa fazer algumas das seguintes perguntas: "O que aconteceu? E, então, o que aconteceu? O que a pessoa com o problema fez? O que a outra pessoa fez? O que cada pessoa disse? O que as outras pessoas fizeram e disseram?"
5. Uma vez que o problema tenha sido descrito, peça para os alunos pensarem em si mesmos como diretores de cinema. Peça para dizerem quantos atores serão necessários para a cena. Liste todas as partes na lousa.
6. Com base na descrição, reveja as falas de cada ator e as ações que serão executadas. Peça voluntários para desempenhar todos os papéis. É geralmente muito eficaz pedir para o aluno com aquele problema na vida real (por exemplo, o que xinga) desempenhar o papel oposto (o da pessoa que está sendo xingada). Ou você pode optar por deixar os alunos que apresentam o problema da vida real apenas assistindo aos outros fazendo a encenação.
7. Peça para os alunos encenarem seus papéis no meio do círculo, e lembre-os de não se preocuparem se está certo ou não. Peça ao ator que está fazendo o papel da pessoa com o problema (por exemplo, quem xinga) para primeiro fazer o papel da outra pessoa (ou seja, da pessoa que foi xingada). Isso dará aos alunos a chance de se colocar no lugar de outra pessoa.

COMENTÁRIO

Uma encenação não deve demorar muito tempo. Algumas duram apenas um ou dois minutos. Os atores logo vão se identificar com seus papéis e gerar sentimentos e informações. Se, depois de encenarem uma vez, algumas mudanças forem necessárias para tornar a encenação mais precisa, peça que os alunos tentem novamente. A maioria dos alunos gosta de encenar, e às vezes eles pedem para repetir a cena novamente. Eles nunca se cansam de fazer o papel do professor ou de assistir ao professor fingindo ser um dos alunos.

8. Depois da encenação, pergunte aos atores o que eles estavam pensando, sentindo, aprendendo ou decidindo fazer de acordo com os papéis que estavam representando.

COMENTÁRIO

É muito importante que os alunos possam expressar seus pensamentos depois de cada encenação, para que possam compreender mais profundamente o que está acontecendo. Por exemplo, se na cena a professora intervir, punindo o aluno que xingou, isso pode ter parado o comportamento e ter parecido resolver o problema. Mas o ator que fez o papel do aluno punido pode ter decidido: "Eu sou uma pessoa má" ou "Eu vou me vingar depois". Quando você pergunta aos alunos o que eles aprenderam com a encenação, eles podem perceber que aprenderam a culpar e a encontrar defeitos, em vez de compreender e resolver problemas. Refletir sobre suas respostas pode ajudar os alunos a encontrar soluções para os problemas que levarão a resultados saudáveis e de longo prazo.

Um dia, duas meninas do nono ano tiveram uma discussão no refeitório. Uma acusou a outra de cutucá-la na fila do almoço; a outra garota negou que tenha feito isso. No caminho de volta para a sala depois do almoço, elas estavam muito irritadas, e a menina que tinha sido cutucada ameaçou chamar a outra para brigar depois da escola, para resolver o problema de uma vez por todas. A professora não tinha certeza de como lidar com esse conflito. Tinham dito para ela dar um tempo para as crianças se acalmarem antes de discutir um problema, mas ela decidiu confiar no processo e convocou uma reunião de classe extraordinária. Em vez de começar com os reconhecimentos, ela sugeriu que os alunos encenassem o que tinha acontecido no refeitório. Ela pediu para voluntários que haviam visto a cena descrevê-la, para que pudessem desempenhar os papéis na encenação.

Enquanto eles escutavam as descrições, os alunos perceberam que a menina que estava reclamando que tinha sido cutucada estava acusando a garota errada. Na verdade, quem a cutucou foi sua melhor amiga – que estava de pé, atrás da garota acusada.

A que "reclamou" fez o papel da que cutucou, e a acusada fez o papel da "cutucada". Logo, todos na sala de aula estavam rindo e decidiram que não precisavam buscar uma solução.

Encenar pode ajudar alunos e professores a verem uma situação a partir de uma nova perspectiva. Às vezes, como aqui, eles veem o humor da situação. Outras vezes, eles veem que uma situação que parecia ser divertida na verdade não foi engraçada para todos. Em qualquer caso, a encenação pode fornecer informações que ajudam todos a verem a cena completa.

Em outro exemplo, uma menina ficou chateada com um menino que tinha jogado comida nela no refeitório. Ela colocou o incidente na pauta da reunião de classe. Quando os alunos encenaram essa situação, eles gostaram muito de fingir que estavam jogando comida. Depois disso, eles foram convidados a dizer o que eles estavam pensando, sentindo ou decidindo fazer. O menino que fez o papel de quem jogava a comida disse que era divertido e que ele se sentia bem porque todo mundo o notou. A menina que fez o papel do alvo do arremesso se sentiu chateada e envergonhada e não queria voltar para o refeitório novamente. Aqueles que estavam interpretando os papéis dos outros no refeitório disseram que era divertido e assustador. Alguns estavam com medo de se meter em confusão e queriam que um adulto fizesse algo. O que jogou a comida ficou surpreso com o fato de que ele estava assustando algumas pessoas.

Levantamento de ideias

Depois que os alunos encenaram um problema, eles devem fazer um levantamento de ideias – pensar na maior quantidade de soluções possíveis em um curto período de tempo. Para a atividade de levantamento de ideias a seguir, você pode querer usar a mesma situação que foi adotada para ensinar a encenar. Em seguida, os alunos podem ver como usar as informações para encontrar uma solução. Compreender sentimentos e decisões dá aos alunos uma valiosa informação que eles podem usar quando for a hora de levantar ideias.

Alguns alunos usam a hora do levantamento de ideias para fazer palhaçada ou bagunçar, na tentativa de obter atenção indevida. Se você escrever as

ATIVIDADE: LEVANTAMENTO DE IDEIAS

OBJETIVO

Juntar ideias para resolver problemas sem julgá-las ou analisá-las.

COMENTÁRIO

Quando os alunos sabem que podem apresentar uma ideia sem serem julgados, isso lhes dá liberdade para se arriscarem mais enquanto estão contribuindo, em vez de se calarem por medo ou para não parecerem bobos.

INSTRUÇÕES

1. Use a situação que foi encenada (furar a fila, xingar ou chegar atrasado).
2. Explique aos alunos que fazer um levantamento de ideias é um processo que lhes permite pensar na maior quantidade de ideias ou soluções possíveis, em um curto período de tempo. Diga-lhes que, quando estiverem fazendo esse levantamento, eles podem pensar em ideias bobas ou extravagantes inicialmente, de modo a estimular a criatividade. Ideias bobas muitas vezes levam a ideias práticas.
3. Escreva as ideias na lousa ou no cavalete. Não as analise, discuta ou critique quando são mencionadas. Basta escrevê-las, mesmo as ideias que podem parecer não funcionar; elas são apenas sugestões. Cada ideia é importante, então escreva todas elas.
4. Quando o levantamento de ideias terminar, você terá uma lista de possíveis soluções. Para sugestões sobre o que fazer com as ideias, consulte "Escolhendo uma solução", na página 171.

ideias deles, sem fazer comentários ou demonstrar emoção, pode neutralizar sua tentativa. Um dia, durante uma sessão de levantamento de ideias, um aluno sugeriu como solução "gritar com eles". O professor ignorou a sugestão e não anotou. O aluno fez a sugestão dele de novo, e então repetiu em voz cada vez mais alta, até que a reunião de classe fosse interrompida. Se o professor tivesse escrito a sugestão de imediato, o aluno poderia ter parado.

Em outra sessão de levantamento de ideias, um aluno sugeriu amarrar um aluno na sua mesa. A professora escreveu a sugestão sem dizer uma palavra e passou para a próxima sugestão. O aluno pareceu um pouco desapontado porque seu comentário não criou a atenção negativa que ele normalmente recebe.

Rudolf Dreikurs chamou isso de "tirar a vela náutica do vento". Muitas pessoas pensam que ele realmente quis dizer "tirar o vento da vela", mas pense nisso desta maneira: os alunos sopram o vento (se comportam mal) para tentar ativar a sua vela (levá-lo a reagir). Tirar a vela do vento significa que você não reage. O mau comportamento muitas vezes para quando os alunos não recebem a reação habitual. Quando o levantamento de ideias terminou, os outros alunos decidiram eliminar essa sugestão da lista porque não foi respeitosa.

Assim que os alunos terminam de listar as ideias, você pode pedir para eliminarem as sugestões desrespeitosas da lista de possíveis soluções. Outra possibilidade é ver o que acontece se todas as sugestões são deixadas, porque os alunos raramente ou nunca escolhem sugestões desrespeitosas. Os alunos são surpreendentemente bons em escolher a sugestão que será mais útil.

DISCIPLINA POSITIVA EM AÇÃO

Eu leciono em uma sala multisseriada de primeiro e segundo anos. As maravilhas das reuniões de classe continuam se revelando para mim. Enquanto os alunos tendem a escolher a resolução de problemas para seus itens da pauta, ontem, um aluno de primeiro ano da minha classe optou por permitir que seus colegas discutissem seu problema sem resolvê-lo. O problema tinha a ver com as crianças maiores que tomam as pás das menores.

Enquanto o "objeto da fala" passava pelo círculo de alunos, eu realmente senti a magia de "discutir sem resolver". O aluno que colocou esse tema na pauta esperava envolver o resto da turma em uma retaliação, mas os outros alunos explicaram o ponto de vista das crianças mais velhas e sua necessidade de pás para trabalhar em seu castelo de terra. Outros ainda mencionaram que não era justo que os alunos mais velhos monopolizassem os recursos de construção de castelos (grama seca, terra e varas). Várias soluções possíveis foram mencionadas, incluindo uma que dizia que os alunos mais novos poderiam formar uma pirâmide humana para alcançar a pá de escavação que tinha sido colocada em uma árvore fora do alcance deles; outra sugeriu falar com os adultos responsáveis. Outros advertiram que a retaliação pode não funcionar bem porque isso levaria a mais problemas.

> Eu fiquei lá sentado, ouvindo esses alunos, e tive uma compreensão muito mais profunda do que é ser uma criança pequena no parquinho. Fiquei impressionado com a forma como a classe foi capaz de discutir a questão cuidadosamente. Eles levantaram tantos pontos que eu mesmo queria ter feito. Estou muito feliz por meus comentários terem sido curtos e, principalmente, por possibilitar a discussão deles. Essa experiência me levou a confiar ainda mais no processo e nos meus alunos.
>
> *Adrian Garsia, treinador certificado em Disciplina Positiva, Santa Cruz, Califórnia, Estados Unidos*

Escolhendo uma solução

Aqui está a lista de ideias feita depois que os alunos encenaram o problema do arremesso de alimentos.

1. O menino que jogou comida poderia pedir desculpas.
2. A menina poderia jogar comida de volta.
3. Um professor poderia dizer a eles para parar.
4. O menino poderia ser mandado para a diretoria.
5. A menina poderia se sentar em outro lugar.
6. A menina poderia contar ao monitor do refeitório.
7. A menina poderia dizer: "Pare de jogar comida em mim."
8. A menina poderia ignorá-lo.
9. A menina poderia usar uma luva para pegar os alimentos.

Um voluntário leu em voz alta todas as sugestões. Pediram para a aluna que colocou o problema na pauta escolher a que ela mais gostava. Ela escolheu a número quatro, mandando o menino à diretoria. O professor perguntou-lhe como isso iria ajudá-la: "Você vai se sentir bem se ele ficar em apuros?" A menina pensou sobre isso e, em seguida, perguntou se ela poderia mudar de ideia. Ela escolheu a número um, para o menino se desculpar. O professor perguntou ao menino se ele estaria disposto a pedir desculpas naquele momento, na reunião de classe, ou mais tarde, em particular. Ele concordou em pedir desculpas na hora, e foi o que fez. Perguntaram então ao menino qual das sugestões iria ajudá-lo mais. Ele disse que o pedido de desculpas ajudou porque ele não tinha a intenção de chatear a menina.

Esse exemplo ilustra quatro importantes técnicas das reuniões de classe:

1. Leia as sugestões em voz alta ou deixe que um aluno leia.
2. Permita que o aluno que colocou o problema na pauta escolha a sugestão que será mais útil. Se outro aluno estiver envolvido no problema, convide esse aluno para escolher uma sugestão que ele pensa ser útil.
3. Pergunte a todos os alunos envolvidos: "Como é que essa sugestão ajuda você, a turma ou outra pessoa?"
4. Deixe o(s) aluno(s) escolher(em) o horário (ou dia) para cumprir a solução escolhida.

Qualquer que seja a solução escolhida, ela deve ser testada durante pelo menos uma semana. Se ela não funcionar, qualquer pessoa pode colocar a questão de volta na pauta da reunião de classe.

DISCIPLINA POSITIVA EM AÇÃO

Uma turma de Educação Infantil usou a reunião de classe para tentar resolver o problema de como obter carrinhos maiores para o parquinho. Mas a resolução de problemas chegou a um impasse quando os professores explicaram que não havia dinheiro suficiente no orçamento para novos equipamentos. Os professores me pediram ajuda. Olhei para o orçamento e voltei para a classe com um número que poderia ser gasto em equipamentos. Eu também deixei lá um catálogo com doze a quinze páginas de opções de veículos. Os professores colocaram o catálogo em um lugar de fácil acesso, e as crianças se debruçaram sobre ele por dias, até que finalmente escolheram o que queriam para o seu parquinho. (Os professores ajudaram com a matemática para garantir que o total ficasse dentro do valor combinado.) As crianças se sentiram muito orgulhosas, capazes e úteis por terem decidido como o dinheiro seria gasto.

Dina Emser,
certificada e membro da Positive Discipline Association

Alguns professores expressaram sua preocupação de que esse método permite que os alunos "se safem" com o mau comportamento, mas nós incentivamos esses professores a confiar no processo. O que normalmente acontece é que o comportamento para. E isso não é mais importante do que fazer os alunos pagarem por imprudências do passado?

Há várias razões para o comportamento parar.

1. Uma discussão respeitosa pode aumentar a consciência dos alunos de como seu comportamento afeta os outros.
2. Os alunos não recebem a recompensa de costume: chamar a atenção, ganhar a disputa de poder ou se vingar. Acredite ou não, os alunos que querem esses retornos os valorizam tanto que a punição é um preço pequeno a pagar por eles.
3. O aluno que se comportou mal sente um senso de aceitação e importância depois de ter sido tratado com respeito pelo professor e pelos colegas. Isso muitas vezes é suficiente para mudar a crença que motivou o mau comportamento.
4. Pressão positiva ocorre quando outros alunos estão tentando criar uma atmosfera de respeito.

Votando em uma solução

Votar é uma forma adequada de escolher uma solução quando o problema sendo discutido envolve toda a classe, por exemplo: que tipo de festa eles querem ter ou qual plano eles preferem para lidar com os problemas do intervalo, da fila, do refeitório e assim por diante. Na maioria das vezes, o melhor para a turma é chegar a um consenso a fim de aumentar a cooperação e criar um ambiente no qual todos saem ganhando. Em vez de votação, continue a discussão (talvez durante várias reuniões de classe) até que todos concordem com a solução.

Permitir que os alunos escolham a sugestão que acham que será mais útil aumenta seu comprometimento e sua responsabilidade. Pergunte a eles: "Como essa sugestão vai ajudá-lo, ajudar a turma ou outra pessoa?". Esse tipo de pergunta os encoraja a pensar em resultados em longo prazo. Encenar e levantar ideias com foco em soluções são valiosas habilidades sociais e de vida que irão aumentar o comportamento socialmente aceitável na sala de aula e em relacionamentos futuros.

Às vezes, uma discussão é o suficiente

Às vezes, encenar e levantar ideias não é necessário para resolver um problema. Não subestime o valor de uma simples conversa. Discutir um problema dá aos alunos a oportunidade de expressar suas opiniões, compartilhar seus sentimentos e oferecer sugestões. Os alunos que estão ativamente envolvidos em uma discussão respeitosa parecem ouvir uns aos outros melhor do que quando ouvem sermões de professores ou acusações dos colegas. Seus comentários e sugestões podem ser tanto divertidos como provocativos – muitas vezes, eles dizem as mesmas coisas que você disse, que entraram por um ouvido e saíram pelo outro. Você pode optar por se sentir frustrado e desprezado por isso ou ficar grato que os alunos ouvem uns aos outros e chegam às suas conclusões – ou a outras ainda melhores.

HABILIDADE 7 – UTILIZANDO A PAUTA E O FORMATO DA REUNIÃO DE CLASSE

Informe seus alunos que você disponibilizará um caderno, uma prancheta, um canto da lousa ou uma caixa para os itens da pauta da reunião de classe. Esses são problemas ou questões que você ou a turma podem discutir na reunião de classe. Toda a turma irá se unir durante o processo de busca de soluções benéficas e escolherá a que eles acham que ajudará mais.

Se um aluno vier até você reclamando sobre outro aluno da classe, diga: "Isso é algo que nós podemos discutir na reunião de classe, a não ser que você veja outra solução que funcione para você. Se você quiser trazer esse item para nossa reunião de classe, você pode adicioná-lo à pauta, por favor?" Essa abordagem tem duas funções: ela economiza tempo (você não tem de lidar com cada um dos problemas), e dá aos alunos verdadeiros problemas para resolverem durante a reunião.

Os únicos itens que serão tratados na reunião são aqueles que foram colocados na pauta com antecedência. Isso permitirá que os alunos tenham tempo para se acalmar antes de os itens serem discutidos. E só o fato de ter o problema na pauta já traz alguma satisfação até que o assunto seja discutido na reunião de classe.

Quando os professores apresentam pela primeira vez as reuniões de classe, às vezes eles optam por usar uma caixa de sapatos para recolher os itens da pauta. O anonimato ajuda a aliviar o problema de retaliação, já que ninguém pode ver seu nome nos itens da pauta. Para anotar os itens, alguns professores entregam papel verde às segundas-feiras, papel azul às terças-feiras, papel amarelo às quartas-feiras e assim por diante, de modo que na reunião os problemas podem ser tratados com os alunos cronologicamente.

Depois de um tempo, os alunos vão compreender plenamente que o propósito das reuniões de classe é ajudá-los, e não magoá-los ou colocá-los em apuros. Deixe que os alunos saibam que ter seu nome na pauta não significa estar em apuros. Eventualmente, os alunos entenderão que ter os seus nomes na pauta é uma experiência agradável e eles não vão se importar por ter seus nomes em uma pauta visível, como um caderno.

Alguns professores pedem aos alunos para colocar problemas na pauta sem os nomes para que eles possam trabalhar em soluções gerais. Isso é aceitável no início. No entanto, os alunos logo vão aprender que eles não vão se meter em encrenca por causa dos problemas colocados na pauta, e que cada problema é uma oportunidade para aprender e ajudar uns aos outros. Isso aumentará o comprometimento deles.

Alunos e professores podem escrever seus itens da pauta a qualquer momento durante o dia. Se os alunos se reúnem e demoram em torno da pauta a ponto de isso ser perturbador, coloque esse mesmo problema (confusão ao usar a pauta) na pauta. Na reunião de classe, combine com os alunos horários específicos para escrever na pauta, como antes de sair da sala para o intervalo ou para ir embora.

Uma professora se queixava de que seus alunos de educação especial não conseguiam esperar para ter seus problemas resolvidos. Muitos de seus alunos entravam na sala de aula irritados depois do intervalo e precisavam de atenção imediata para se acalmarem. Ela tentou pedir para as crianças colocarem seus problemas na pauta quando voltassem do intervalo. Mais tarde, ela relatou que era quase cômica a maneira como eles iam pisando até o caderno e com raiva escreviam o seu problema e, depois de escrever, iam para seus lugares visivelmente mais calmos. A pauta fornecia gratificação imediata porque eles sabiam que seu problema seria discutido mais tarde.

Quando Jane era conselheira em uma escola primária, os professores muitas vezes a chamavam de "disco riscado" porque, quando eles lhe perguntavam como resolver um problema, ela costumava dizer: "Coloque-o na pauta e deixe as crianças chegarem a uma solução" – e elas geralmente chegavam.

Colocar o item na pauta muitas vezes inicia o processo de resolução do problema antes de ele ser discutido na reunião de classe. E, na reunião, os alunos costumam dizer: "Isso já foi resolvido". Se parecer apropriado, pergunte se eles gostariam de contar como foi resolvido.

O formato da reunião de classe

Depois de apresentar a pauta aos seus alunos, compartilhe o formato da reunião de classe, como uma maneira de fornecer estrutura e ordem para todas as habilidades que eles aprenderam. Copie o formato da reunião de classe em um grande cartaz e o pendure em um lugar visível na sala.

Formato da reunião de classe

1. Reconhecimentos e elogios.
2. Acompanhamento das soluções anteriores.
3. Itens da pauta – escolher uma das seguintes opções:
    a. Compartilhar sentimentos, enquanto os outros escutam.
    b. Discutir o problema sem resolver.
    c. Pedir ajuda para a resolução de problemas.
4. Planos futuros (excursões, festas e projetos).

1. Elogios e reconhecimento

Agora os alunos aprenderam essa habilidade. Faça uma rodada usando um item que cumpra a função de um "objeto da fala", conforme descrito na página 149.

2. Acompanhamento das soluções anteriores

Utilize alguns minutos para permitir que os alunos compartilhem como uma solução anterior está indo. Ocasionalmente, um aluno pode compartilhar que a solução não está funcionando. Essa não é a hora para discutir esse problema novamente. Pergunte ao aluno se ele gostaria de colocá-lo na pauta novamente ou tentar um outro método de resolução de problemas tal como a Roda de Escolha, a Mesa da Paz, ou os Quatro Passos para Resolução de Problemas.

3. Itens da pauta

Quando um item aparece na pauta (na ordem em que foi colocado lá), é útil dar uma escolha aos alunos. Se eles gostariam de: (1) compartilhar sentimentos, enquanto os outros escutam, (2) discutir o problema sem resolver, ou (3) pedir ajuda para resolver o problema? Eles costumam escolher o número três, mas é bom eles saberem que, às vezes, um problema pode se resolver sozinho, apenas porque as pessoas sabem como você se sente ou quando você simplesmente o apresenta para que as pessoas fiquem mais conscientes dele.

Uma professora de oitavo ano dava aula para seus alunos por apenas 45 minutos por dia. No entanto, ela acreditava que as reuniões de classe eram tão importantes que seus alunos tinham a reunião durante os últimos dez minutos de cada aula. Ela alternava entre reconhecimentos em um dia e resolução de problemas no outro, já que dez minutos não era tempo suficiente para as duas coisas.

Os alunos que mascavam palito de dente incomodavam a professora. Ela já tinha tentado dar sermão, repreender e suplicar, mas a mastigação continuava. Finalmente, ela colocou o problema na pauta. Quando chegou sua vez, ela pediu ajuda para resolver o problema. Ela disse: "Eu sei que isso não é um problema para vocês, ou vocês teriam parado. É um problema para mim e eu realmente conto com sua ajuda." Nos primeiros dez minutos, não surgiu nenhuma solução, nem durante os dez minutos do dia seguinte. No terceiro dia (tinham pulado a parte dos elogios enquanto trabalhavam nessa questão), um aluno disse: "Você viu alguém mascando palitos ultimamente?" A professora pensou sobre isso e teve de admitir: "Não, eu não vi." O aluno brilhantemente sugeriu: "Então, talvez o problema tenha sido resolvido." Tudo o que a professora pôde dizer foi: "Obrigada a todos. Eu realmente agradeço a ajuda de vocês."

Nesse caso, mesmo que a professora tenha pedido ajuda para resolver o problema, descobriu-se que a discussão foi o suficiente. Claro, não doeu ela ter assumido o problema como dela, em vez de xingar os alunos por causa do problema "deles".

4. Planos futuros (excursões, festas e projetos)

Quanto mais as crianças estão envolvidas no planejamento de eventos futuros, melhor as coisas acontecem. Use o "objeto da fala" e faça duas rodadas para que as crianças possam compartilhar seus pensamentos e sentimentos. Seja claro com os alunos sobre as exigências da escola para atividades extracurriculares, inclusive supervisores, horas, número de atividades permitidas e quaisquer outros requisitos.

HABILIDADE 8 - COMPREENDENDO E UTILIZANDO OS QUATRO OBJETIVOS EQUIVOCADOS

Muitos alunos compreendem rapidamente os Quatro Objetivos Equivocados e parecem aliviados por entender o que está acontecendo com eles e com os outros. Se você já usou a atividade da página 56, no Capítulo 4, para ensinar seus alunos sobre os Quatro Objetivos Equivocados e sobre encorajamento, eles podem querer identificar o objetivo equivocado depois de uma encenação. Algumas escolas penduram o Quadro dos Objetivos Equivocados em cada sala de aula, e as crianças são capazes de identificar o desânimo de um colega e rapidamente recomendar uma forma de encorajá-lo.

• • •

Você e seus alunos já aprenderam todas as Oito Habilidades para reuniões de classe. Provavelmente você já usa muitas delas ao longo do dia e já sabe, por experiência própria, o valor dessas habilidades socioemocionais na melhoria da qualidade da aprendizagem de vida e acadêmica.

13

PERGUNTAS E RESPOSTAS SOBRE REUNIÕES DE CLASSE

Errar é inevitável, e o erro é menos importante, na maioria dos casos, do que aquilo que o indivíduo faz depois que cometeu o erro.

Rudolf Dreikurs

Conforme você vivencia as reuniões de classe, muitas questões vão surgir. Este capítulo apresenta respostas para algumas das perguntas mais frequentes feitas por centenas de professores. Algumas perguntas vieram de professores do Ensino Fundamental I, e outras de professores do Ensino Médio. Mesmo que alunos de diferentes idades tenham diferenças de desenvolvimento, há também muitas similaridades. Professores de todos os anos irão encontrar nessas respostas ideias criativas para resolver problemas. Fique atento aos princípios básicos de respeito e empoderamento que estão nas respostas. Ao escutar soluções baseadas na dignidade e no respeito, você estimulará sua própria criatividade para encorajar os alunos – e a si próprio.

PERGUNTAS MAIS FREQUENTES DOS PROFESSORES DE ENSINO FUNDAMENTAL I

P. Como posso evitar que os alunos sejam humilhados durante uma reunião de classe?
R. É importante direcionar os alunos para longe de sugestões que possam humilhar ou magoar outro aluno. Várias perguntas podem ajudar:

> Como isso seria útil para esta pessoa?
> Como você se sentiria se essa sugestão fosse dada a você?

Isso é humilhante ou respeitoso?
Isso pune o comportamento passado ou encoraja mudanças para o comportamento no futuro?
Essa solução é relacionada, respeitosa e razoável?

Você pode querer esperar até que todas as sugestões tenham sido feitas e repassar a lista, perguntando aos alunos quais sugestões deveriam ser eliminadas porque não são respeitosas, úteis ou práticas.

Humilhação e punição podem ser evitadas ao pedir para o aluno que apresentou o problema escolher a solução mais útil. Algumas vezes, os alunos acabam escolhendo soluções punitivas para si próprios. De forma a ajudá-los a sair dessa mentalidade punitiva, você poderia perguntar: "Como isso vai ajudá-lo e encorajá-lo?"

Outra maneira de evitar humilhação é generalizando ou falando sobre o assunto em termos gerais, em vez de usar o nome ou a situação de uma pessoa específica. Suponha, por exemplo, que durante a reunião alguém acusa outra pessoa de roubar. Esse assunto pode ser generalizado perguntando à turma: "O que nós podemos fazer para lidar com o problema de furto em geral, em vez de procurar por culpados e tentar encurralar somente uma pessoa?" Então, elaborem soluções.

Outra maneira de lidar com a situação na qual a humilhação está presente é fazer perguntas que redirecionam: "Quantos de vocês se sentiriam apoiados se estivessem agora mesmo no lugar do Johnny? Quantos de vocês não se sentiriam apoiados?", "Quantos de vocês se sentiriam encurralados? Quantos de vocês não se sentiriam encurralados?".

Você precisará usar generalização e redirecionamento menos frequentemente conforme os alunos pegarem o espírito de ajudar em vez de magoar ou punir uns aos outros.

P. Os alunos não se sentem ressentidos quando eles pedem por ajuda e você fala para eles colocarem o assunto na pauta de reunião de classe em vez de ajudá-los na hora?
R. Na verdade, a maioria dos alunos sente alívio imediato só pelo fato de colocar o problema na pauta. Alguns realmente se sentem ressentidos porque estão acostumados a terem atenção especial do professor. Outros estão acostumados a serem cuidados em vez de participarem do processo de ajuda. A mu-

dança, mesmo para o bem, nem sempre é fácil. Alguns alunos se sentirão ressentidos no começo. Mas, uma vez que eles vivenciam a atenção positiva e a ajuda que eles podem receber durante as reuniões de classe, que é normalmente muito mais criativa do que a ajuda que eles recebem dos professores, eles irão, certamente, esquecer os seus ressentimentos.

Uma aluna do segundo ano foi reclamar para a sua professora, a sra. Binns, que alguns meninos, os quais estavam sentados atrás dela no ônibus, estavam chutando o seu assento. Seguindo a sugestão da sra. Binns, a menina escreveu o problema na pauta e, durante a reunião, pediu ajuda aos seus colegas. A primeira sugestão foi profundamente simples: "Sente-se atrás deles." Uma sugestão complexa e criativa foi "Entre no ônibus, coloque seus livros em um assento e sente-se em outro. Quando os meninos se sentarem atrás de você, você poderá mudar para o lugar em que colocou seus livros." Houve muitas outras sugestões, mas a aluna escolheu a sugestão de observar onde os meninos se sentariam e ir se sentar bem longe deles.

P. Quantos itens um aluno deveria ter permissão para colocar na pauta de reunião?
R. Coloque esse assunto na pauta e pergunte aos seus alunos. Um professor tinha permitido colocar dois ou três itens por pessoa por dia, e os assuntos não tinham fim. O professor colocou o assunto na pauta e os alunos definiram a regra de um item por pessoa por dia. A partir desse dia, não houve mais problema, visto que eles discutiram o assunto e tomaram uma decisão.

P. O que você faz se um aluno não escolher uma solução?
R. Uma possibilidade é perguntar para a turma se ela concorda em observar se a discussão na reunião de classe é o suficiente para motivar mudança. Se não for, o aluno com o problema pode colocar o problema de volta na pauta e tentar novamente.

Outra possibilidade seria perguntar ao aluno relutante em fazer uma escolha se ele estaria disposto a pensar a respeito, encontrar a sua própria solução e falar a solução escolhida para a turma no dia seguinte. Se ele ainda parece em dúvida, pergunte se ele gostaria de escolher dois colegas para levantar mais ideias com ele durante o intervalo. Uma vez que os alunos passam a compreender que reuniões de classe não são punitivas, eles raramente hesitam ao escolher uma sugestão que seja realmente útil. Uma vez que as habilidades de resolver problemas foram ensinadas aos alunos, os professores precisam mostrar uma fé persistente nas habilidades dos seus alunos para encontrar soluções.

PERGUNTAS MAIS FREQUENTES DE PROFESSORES DO ENSINO MÉDIO

P. Quando os alunos se sentam perto dos seus amigos durante a reunião de classe e criam muita perturbação, tudo bem separá-los?
R. Esse problema aparece com frequência. O sr. Burke notou que seus alunos tinham dificuldade de serem respeitosos quando amigos estavam sentados uns próximos dos outros. Ele tentou dar sermão sobre ser imprudente. Quando aquilo não funcionou, ele decidiu separar os amigos. As crianças responderam com hostilidade e resistência em relação a toda a ideia de reunião de classe.

O sr. Burke decidiu colocar o problema na pauta. Durante a reunião de classe, ele fez a seus alunos as seguintes questões e ouviu as seguintes respostas:

1. Que tipo de problemas vocês acham que podemos ter quando amigos se sentam juntos? Os alunos levantaram problemas do tipo: conversar, dar risadas e passar bilhetes.
2. Que sugestões vocês têm para resolver esse problema? Os alunos concordaram que seriam respeitosos para que pudessem ter o privilégio de se sentar perto de seus amigos.
3. O que seria uma solução relacionada ao problema, respeitosa e razoável se as pessoas não cumprirem com o combinado de agirem respeitosamente quando sentados perto do amigo? Os alunos decidiram que ficar sentado longe dos seus amigos pelo resto da reunião resolveria o problema.

Como previsto, nada foi eficaz até que os alunos foram envolvidos no processo da resolução de problemas. Apesar de normalmente os alunos chegarem às mesmas conclusões que os professores tentaram impor a eles, os resultados são completamente diferentes.

P. Os alunos do sexto ano são muito imaturos para participar de reuniões de classe? As crianças na minha sala agem de forma boba, dão risada uns dos outros e, às vezes, agem como idiotas com os outros.
R. Na perspectiva do desenvolvimento, os alunos do sexto ano estão começando a responder mais às influências dos colegas do que às dos adultos. Eles também querem fazer parte da turma e ser aceitos por seus colegas; então, se o comportamento negativo começa, pode ser difícil pará-lo.

Os alunos às vezes agem de maneira boba porque os professores começam a implementar reuniões de classe antes de ensinar habilidades a eles. Uma professora que estava tendo dificuldades disse aos seus alunos que ela errou ao iniciar reuniões de classe sem ter ensinado mais habilidades. Depois de dois meses sem ter feito muita coisa além de formar um círculo, ensinar habilidades básicas e fazer reconhecimentos, os alunos se acalmaram e estavam prontos para usar habilidades de resolução de problemas.

P. Se os alunos se sentirem desconfortáveis ou envergonhados ao fazer reconhecimentos, posso pular essa parte da reunião?
R. Acreditamos que o processo do reconhecimento é extremamente importante e não é opcional. Alunos e adultos que pensam de forma similar irão superar o estágio da vergonha de fazer e receber reconhecimentos quando eles persistirem no processo. Variações são aceitáveis, contanto que a atividade de abertura seja positiva e que resulte em alunos aprendendo mais uns sobre os outros, o que os prepara para começar os reconhecimentos.

Uma possibilidade seria perguntar aos alunos sobre seus interesses fora da escola, passatempos especiais ou outras informações pessoais. Uma professora tem um livro especial com pensamentos motivacionais para o dia. Ela o passa durante a reunião de classe e permite que cada aluno responda individualmente às mensagens.

Um professor do Ensino Médio estava ensinando física avançada para um grupo de alunos, os quais tinham a reputação de serem *nerds* e superinteligentes. Ele nos disse: "Mesmo que você só faça a sessão de elogios, a reunião de classe vale a pena. Leve o tempo que levar. As crianças na minha sala recebem tanta crítica negativa que a hora dos elogios, durante a reunião de classe, foi a primeira vez que alguns deles escutaram algo positivo a seu respeito na escola."

P. Alguma ideia sobre como lidar com elogios sarcásticos?
R. Uma maneira simples de lidar com elogios sarcásticos é dizer: "Opa, isso é um elogio ou um item para a pauta de reunião?" Outra questão que ajuda a redirecionar elogios sarcásticos é: "Você poderia reformular a frase até que soe como algo que você gostaria de escutar de alguém?"

P. Sou tutora e tenho pequenos grupos de crianças por curtos períodos de tempo. Eu não tenho tempo para reuniões de classe.
R. Há duas coisas que você pode tentar quando surgem problemas na sua sala de aula. Uma delas é pedir a um voluntário para colocar o problema na pauta de reunião e pedir que lhe informe quais foram as sugestões para resolver o problema. Outra possibilidade é conduzir uma reunião de classe em cinco minutos quando o problema aparece. Quando alunos e professores estão bem treinados quanto ao processo de reunião de classe, reuniões rápidas podem ser realizadas em salas especiais nas quais as reuniões regulares não acontecem. Porém, reuniões curtas não funcionam quando professores e alunos não estão familiarizados com o processo.

P. Às vezes, os alunos do Ensino Médio sentem que estão se intrometendo quando trazem problemas sobre outros adolescentes. Como eu lido com esse problema?
R. É benéfico falar sobre como a reunião de classe é uma alternativa para suspensões e outras abordagens inúteis e punitivas. Lembre os alunos que é normal estarem em dúvida se devemos nos intrometer na vida de alguém quando vivemos em um sistema que foca em culpa e punição, em vez de responsabilidade e soluções. Pergunte: "Quantos de vocês gostariam de ver o seu nome na pauta se soubessem que as pessoas se uniriam para te encurralar e tentar te pegar?" Então pergunte: "Quantos de vocês gostariam de ver o seu nome na pauta se soubessem que estariam recebendo conselhos valiosos dos seus colegas que valem milhares de dólares e que poderiam te encorajar e te fortalecer?"

P. Eu notei alunos reclamando de outros professores que não estão dispostos a realizar reuniões de classe. Como posso lidar com essa situação sem alterar negativamente a imagem dos outros professores?
R. Se alunos reclamam dos professores que não resolvem a situação de maneira respeitosa com eles, é importante ajudá-los a fazer o necessário para assu-

mirem a responsabilidade de resolver seus próprios problemas. Lembre-os de que não é possível mudar os outros; nós podemos apenas mudar a nós mesmos. Se outros professores estiverem dispostos, eles podem participar da sua reunião, como convidados, para ajudar com um problema.

É benéfico treinar todo o corpo docente sobre reuniões de classe e o seu potencial. Lembre os professores de que o crescimento humano é baseado no aprendizado, e o aprendizado não é fácil. O principal objetivo é conversar sobre a situação de maneira respeitosa e resolver problemas. Um benefício secundário é que turmas que fazem reuniões de classe regularmente apresentam menos problemas disciplinares e têm melhora na motivação positiva. Quanto mais bem preparada a equipe estiver, melhor eles implementarão as reuniões de classe.

P. Eu realmente preciso de uma pauta?
R. Sim. A pauta serve como uma mensagem poderosa e simbólica de que todos os alunos têm a oportunidade de falar sobre as suas preocupações, enquanto dão e recebem encorajamento e ajuda prática. A pauta também oferece ordem e estrutura. Normalmente, não é eficaz tentar resolver o problema na hora do conflito. A pauta dá a chance de os alunos se acalmarem. A pauta também mantém você longe do centro do conflito. Como já mencionamos antes, conforme os assuntos vão surgindo durante a semana, peça aos alunos que os coloquem na pauta.

P. O que acontece se os alunos escolherem uma solução "ruim"?
R. Se a turma chegar a uma solução e depois perceber que foi um erro, traga o assunto de volta na próxima reunião e procurem por outra solução. Em alguns casos, você pode dizer: "Eu não consigo aceitar esta solução." Seria melhor tentar evitar dizer isso com frequência. Como alternativa, deixe as crianças aprenderem ao praticarem a solução "ruim" (se isso não for humilhante para outro aluno) por um dia ou por uma semana e perceberem por conta própria que isso não é razoável ou prático. Elas aprendem muito mais dessa maneira. Outra possibilidade seria encenar a solução escolhida, perguntando aos voluntários que encenaram se eles acham que isso poderia realmente ajudar depois que eles tiveram a chance de ver na prática.

P. Quais são os problemas mais frequentes encontrados na pauta do Ensino Médio?
R. Normalmente, no Ensino Médio, a reunião de classe é usada para resolver problemas entre professores e alunos. Os alunos realmente são gratos pela chance de falarem suas opiniões e trabalharem juntos com o professor em uma solução. Alguns dos itens mais comuns na pauta são: (1) marcação de lugar, (2) lição de casa no fim de semana, (3) distração (o professor normalmente traz esse assunto para a pauta), (4) muita conversa paralela, (5) dificuldade de prestar atenção no professor depois de terem trabalhado em pequenos grupos, (6) desperdício de tempo e (7) falta de respeito pelos outros.

O problema na pauta, em si, não é de suma importância. Problemas oferecem a oportunidade de desenvolver habilidades de resolução de problemas em uma atmosfera estimulante, que fortalece os alunos com a coragem e a confiança de que eles precisam para serem cidadãos produtivos, colaboradores e felizes no mundo. Ressaltar essa perspectiva de longo prazo o ajudará a evitar se sentir desmotivado com os altos e baixos das reuniões de classe. Você pode ter tido uma reunião de classe improdutiva em uma semana, mas excelente na outra. Não é assim que a vida é? Que outra maneira melhor de ensinar às crianças formas efetivas para lidar com suas próprias vidas?

RESUMO DE UMA SESSÃO DE PERGUNTAS E RESPOSTAS

A transcrição parcial em seguida à sessão de perguntas e respostas origina-se de um *workshop* interno que durou um dia inteiro para 500 professores, em Charlotte, Carolina do Norte, Estados Unidos. Como parte desse curso, a professora do primeiro ano, Janice Ritter, e a do quarto ano, Kay Rogers, responderam às perguntas sobre reuniões de classe.

APRESENTADOR: Hoje, eu vou lhes apresentar duas professoras da escola Sharon. Eu gostaria que elas contassem um pouco de suas experiências.

JANICE: No ano passado, quando começamos as reuniões de classe, minha reação inicial foi: "Bem, esta é uma ótima ideia, mas não vai funcionar com as turmas do primeiro ano." Eu não esperava que eles pudessem pensar em fazer reconhecimentos, muito menos resolver problemas. Eu segui em frente mesmo assim e comecei o processo da reunião de classe na primeira semana de aula, e em dezembro eu disse: "Isso é a melhor coisa que já aconteceu comigo, como professora, e para meus alunos."

Eu gostaria de compartilhar algumas razões pelas quais eu gosto de usar reuniões de classe. Primeiramente, você tem mais crianças contando a você o que está acontecendo na sala de aula. Além disso, as crianças entendem melhor algo dito por um colega do que dito por você. As crianças dizem coisas entre si de uma maneira que atinge outras crianças. Adultos não fazem isso muito bem. Eu também gosto das habilidades acadêmicas que se desenvolvem a partir da reunião de classe.

APRESENTADOR: Eu espero que vocês todos tenham escutado isso. Diga novamente.

JANICE: Habilidades acadêmicas. Como aprendizes no processo da escrita, os alunos adoram ir até a pauta de reunião, e isso ajuda as suas habilidades de escrita. Eu tenho alunos que falam baixo o dia inteiro, exceto quando eles têm algo a dizer durante a reunião de classe. Provavelmente, a razão de que eu mais gosto é que o comportamento melhora.

APRESENTADOR: Muitos professores começam as reuniões de classe para ajudar com os problemas de disciplina e para melhorar o comportamento. Isso é uma razão extremamente valiosa. Entretanto, a melhora no comportamento é um benefício secundário. O benefício principal é que ensina às crianças as Sete Percepções e Habilidades Significativas (veja o Cap. 1). Essa é a base que ajudará os alunos a melhorarem seus comportamentos, não apenas no momento atual, mas por toda a vida.

KAY: Quando a nossa psicóloga escolar me deu a cópia do livro *Disciplina Positiva* e queria que eu implementasse reuniões de classe, minha reação inicial foi "Ah, não. Mais um programa sobre o qual eu terei que ler e nem vai funcionar." Ninguém poderia ter uma atitude mais negativa do que a minha. Eu decidi tentar mesmo assim e, depois de uma semana, o método já tinha me conquistado.

APRESENTADOR: Você não teve um mês inteiro de inferno?

KAY [dando risada]: Não. Depois de uma semana de reuniões de classe, tudo ficou maravilhoso. O que realmente funcionou para mim foi lidar com as coisinhas pequenas que deixam os professores malucos. As crianças vinham até mim e diziam: "Alguém me bateu", "Alguém tocou em mim". Eu dizia: "Coloque na pauta de reunião". Isso foi o que valeu a pena para mim no começo. Nós temos trabalhado com reuniões de classe e melhorado. Eu tenho um professor-aluno que começou a implementar a ideia da 'regra do Roberto'. Os alunos não só estão aprendendo habilidades para resolver problemas, como também estão aprendendo habilidades que irão ajudá-los no conselho estudantil. Esse tem sido um tremendo benefício secundário, assim como melhorar a disciplina dentro da nossa sala.

APRESENTADOR: Eu fiquei sabendo que um ano antes de você aprender sobre reuniões de classe, você estava pedindo bastante ajuda à psicóloga quanto aos problemas de comportamento. Ela me disse que você não a procura mais e, quando ela pergunta se você precisa de alguma coisa, você responde que você e os alunos estão trabalhando nas questões juntos.

KAY: Isso é verdade.

APRESENTADOR: Kay e Janice irão agora me ajudar a responder algumas questões que foram escritas pelos membros do corpo docente de cada escola.

P. Nós deveríamos estipular regras na sala? Se sim, as regras deveriam ser feitas pelo professor, pelos alunos ou por ambos?
KAY: No começo do ano, meus alunos e eu estipulamos as regras da sala juntos. Nossa escola tem regras gerais, que foram também afixadas na nossa sala. Elas (as regras gerais da escola) eram regras que o conselho estudantil elaborou.

APRESENTADOR: O que você descobriu quando pediu aos seus alunos para pensarem nas regras?

JANICE: Meus alunos falaram coisas que foram muito similares ao que os adultos falariam.

APRESENTADOR: Isso é interessante. Eu ainda não estive em uma sala de aula na qual as regras não foram afixadas. Mas, normalmente, elas foram caprichosamente impressas pelos professores com antecedência, então não há senso de autoria por parte das crianças. O que nós descobrimos é que as crianças irão falar as mesmas regras que os adultos ou ainda regras mais rígidas, mas elas têm senso de autoria, e você pode dizer "Nós decidimos" em vez de "Eu decidi".

P. Salas de educação infantil deveriam ter pauta de reunião?
APRESENTADOR: Nós tivemos uma experiência no Distrito Escolar de Elk Grove, na qual um grupo veio nos visitar por causa do Projeto ACCEPT.[1]

---

[1] Projeto ACCEPT (Adlerian Counseling Concepts for Encouraging Parents and Teachers). Trata-se de um projeto, dirigido por Jane Nelsen, que recebeu subsídio federal. Ele

Eles estavam desenvolvendo um projeto sobre tomada de decisão, e não era possível para as crianças ficarem envolvidas em tomada de decisão até que elas estivessem no segundo ano. Mas eles observaram nossos alunos de educação infantil e do primeiro ano e ficaram encantados. Eles disseram: "Temos que voltar e reescrever o projeto". Muitos professores da pré-escola estão aliviados por não precisarem lidar com assuntos como "dedo-duro". Eles apenas falam: "Coloquem este assunto na pauta". Rapidamente os alunos se cansam de ouvir o "disco riscado", então eles só perguntam ao professor se podem colocar o assunto na pauta. Metade das vezes, eles não conseguem se lembrar de qual era o problema quando chega a hora de falar sobre ele na reunião.

Na Educação Infantil ou no primeiro ano, é aceitável que os alunos se esqueçam dos seus problemas, pois quando eles têm um breve tempo para esfriar a cabeça, o problema não é mais importante. Mas você não quer que eles se esqueçam tanto assim dos seus problemas, senão não terão a oportunidade de desenvolver habilidades de resolver problemas.

P. O que você faz quando os reconhecimentos ficam monótonos? Por exemplo, "Eu quero te agradecer por ser meu amigo" ou fazendo reconhecimentos para a mesma pessoa todos os dias.

JANICE: Eu já fiz algumas coisas. Isso aconteceu no começo deste ano – os reconhecimentos estavam ficando entediantes. Então, um dia, em vez de fazer reconhecimentos, eu disse: "Hoje nós iremos contar para todos uma coisa que estamos nos esforçando muito para melhorar". Eles caminharam pela sala e descobriram coisas realmente boas em que eles estavam trabalhando. Quer seja melhorar a caligrafia, quer seja não falar tanto, o resto das crianças agora tinham coisas específicas para observar no outro. Eu não tenho que fazer isso com tanta frequência, mas às vezes vejo a necessidade de fazer algo do tipo.

KAY: Eu vejo que, em anos mais avançados, os reconhecimentos não ficam entediantes tão rápido quanto com os alunos mais novos. Eles começam a procurar por realizações acadêmicas e habilidades de socialização. Eu acho que

---

foi capaz de melhorar o comportamento dos alunos por meio do treinamento dos adultos significativos (pais e professores) para usar o método adleriano/dreikursiano com as crianças. O principal foco com os professores foi usar reuniões de classe. Os pais participaram em grupos de estudo. Após três anos de desenvolvimento, o projeto atingiu *status* exemplar e foi premiado com fundos de disseminação por mais três anos. Durante esse período, escolas em vários distritos da Califórnia usaram fundos de adoção para treinar seus professores e os pais.

ajuda muito formar pares. Quando eles se sentam em pares, um pode ver o que o outro faz.

APRESENTADOR: Deixe-me ver se eu entendi. Eles formam duplas e pensam em elogios que podem fazer sobre seus parceiros? Você alguma vez já teve pedidos para mudar de duplas?

KAY: Sim, claro! Eles fazem o requerimento por escrito para mim, e toda terça-feira é dia de mudar de dupla.

APRESENTADOR: Que ótima ideia! Isso também responde à questão sobre o que fazer no caso de estarem elogiando sempre a mesma criança. Isso é muito legal. Nunca tinha escutado isso antes. Eu já ouvi de um professor que pedia para as crianças sortearem um nome toda semana. Mas eu ainda gosto mais da sua ideia. Eles se sentam perto de seus parceiros por um tempo?

KAY: Eles se sentam perto de seus parceiros por uma semana.

APRESENTADOR: Outra possibilidade é deixar que eles sejam monótonos no começo, pois estão aprendendo aquela habilidade. Uma vez que eles se sentem confortáveis ao dizer: "Eu quero fazer um elogio por ser meu amigo", você pode começar a ensiná-los outras coisas. É benéfico procurar pelo que a pessoa faz – as suas ações. Por exemplo, o que eles fazem que demonstra amizade? Por qual ação específica você gostaria de agradecê-lo?

P. Os alunos do primeiro ano parecem sempre dar sugestões que eles já haviam escutado antes. Como podemos fazê-los desenvolver soluções que são mais apropriadas? Pela perspectiva do desenvolvimento, eles estão prontos para criar soluções?

JANICE: Com meus alunos do primeiro ano, eu normalmente aceito quatro soluções e nós conversamos apenas sobre elas.

APRESENTADOR: Isso é porque seus alunos elaboram muitas soluções e você tem de limitá-las?

JANICE: Sim, mais ou menos, é com isso que eles conseguem trabalhar. Nós conversamos para saber se as soluções são apropriadas e como eles as fariam funcionar para ajudar as pessoas. Eu acho que você irá encontrar alguns alunos que farão as mesmas sugestões, mas você terá mais sugestões uma vez que começar. Provavelmente, você verá mais habilidades de resolver problemas sendo desenvolvidas.

APRESENTADOR: Praticar paciência também é dar tempo ao tempo. No começo, o professor terá de sugerir algumas soluções, mas quanto mais cedo você aprender a ter paciência e auxiliar cada aluno a ter a vez no círculo, mais cedo eles aprenderão que têm grande sabedoria e grandes ideias. Eu soube de crianças de 4 anos de idade que participam das reuniões de família com grandes soluções e grandes ideias. É que nós não reservamos tempo suficiente para treinamento e experiência para saber que eles podem ter ideias. Estamos muito acostumados a mandar nas crianças em vez de perguntar a elas.

P. Como podemos transformar as reuniões em sessões que não tratem apenas de crianças dedurando outras? Muitas crianças estão progredindo com a atenção que damos a elas durante a sessão.

APRESENTADOR: Uma possibilidade é mudar nossa perspectiva em relação a dedurar. O que pode ser somente um dedo-duro para nós pode ser um problema real para os alunos. Se nós olharmos para as preocupações deles como uma oportunidade de buscar soluções em vez de dedurar, isso muda o nosso sentimento em relação às preocupações deles. Normalmente, dedurar é "Eu quero que você dê punições a eles" em vez de "Isso me afeta, então como podemos resolver este problema?". Algumas vezes, os professores gostam de censurar demais.

P. O que devo fazer com um problema recorrente?

APRESENTADOR: Por vezes, os professores decidem "Bem, nós já falamos sobre um problema parecido com este, então não vamos falar novamente". Isso foge do ponto principal de realizar reuniões de classe. O fato de o Billy bater na Janey não é o mesmo para a Susie, que apanhou do Dick. Você deve continuar permitindo que eles trabalhem em procurar soluções. Eles ficarão cada vez melhores em chegar à mesma solução ou eles terão ideias diferentes. Mas o ponto principal é que eles estão sendo ouvidos, sentem-se levados a sério e fazem uso de suas habilidades. Enquanto isso os afeta, deixe que eles busquem as soluções.

KAY: Eu também descobri que eles encontravam diferentes soluções para crianças diferentes, porque o que funciona para um não funciona para todos. Meus alunos estão realmente começando a considerar o indivíduo e não apenas o problema, em vez de dizer: "Nós já discutimos isso." Eles começam a procurar o que será eficaz para aquela pessoa.

APRESENTADOR: Estou contente que você mencionou isso. Esse é um ponto tão importante! As pessoas são únicas. Elas são indivíduos. O que funciona para um pode não funcionar para o outro. Uma das coisas que as crianças aprendem em reuniões de classe é que as pessoas pensam de maneiras diferentes. Elas sentem de maneira diferente. Elas têm ideias diferentes. Nós não somos todos iguais. Então, começamos a aprender o respeito pelas diferenças. [Veja o Cap. 6.]

P. *Quais disposições são feitas para crianças com problemas graves de disciplina, crianças com necessidades especiais?*
KAY: Nesses dois anos em que tenho feito reuniões de classe, se eu tiver algum problema de disciplina, eu lido com ele na mesma hora. Felizmente, desde que comecei as reuniões de classe, eu não tive nenhum problema grave.

APRESENTADOR: Você acha que tinha problemas graves antes de começar as reuniões de classe?

KAY: Sim, e tenho certeza de que eu ainda os teria se eu não estivesse fazendo as reuniões de classe. Essa é uma das razões de eu estar tão entusiasmada com reuniões de classe. Com a ajuda dos alunos, nós resolvemos as situações em nossa sala.

JANICE: Eu me sinto da mesma maneira. E eu ainda acho que tem certas coisas às quais você, como professor, tem de reagir, ou se você tem um problema de disciplina grave, talvez você tenha de encaminhar aquela criança para os canais apropriados. Você ainda terá de fazer isso, mesmo que esteja implementando as reuniões de classe e tentando resolver a maioria dos seus problemas.

APRESENTADOR: Eu gostaria de fazer apenas alguns comentários sobre isso. Eu quero contar duas histórias. Uma delas é a história de um menino do segundo ano que vou chamar de Stephen. Como o Stephen era uma criança órfã, a professora pediu ajuda para a Agência de Jovens Órfãos onde eu trabalhava. Ela descreveu Stephen como "um garoto com problema grave de disciplina". Seus colegas estavam reclamando de todas as coisas que ele fazia. Eu realmente acredito que as reuniões de classe funcionam, não importa a gravidade do problema. Eu sabia que a melhor maneira de ajudar essa criança era por meio das reuniões de classe, mas a sua professora não sabia como realizá-las. Eu pensei, "Certo, nós vamos fazer duas coisas de uma vez. Nós vamos ajudar essa criança e ensinar o processo de reunião de classe para a professora."

Eu fui até a sala de aula para fazer uma demonstração da reunião de classe. Uma das regras das reuniões de classe é que normalmente você não fala sobre a criança a não ser que ela esteja presente. Uma vez que você aprende que reuniões de classe podem ser realizadas de maneira positiva, útil, encorajadora e empoderadora, é seguro para as crianças falarem sobre qualquer coisa juntas. Entretanto, nesse caso, eu sabia que as crianças ainda não tinham aprendido a ajudar umas às outras. Eu sabia que elas ainda tinham a mentalidade de se unir e punir, então pedimos que Stephen saísse da sala.

A primeira coisa que eu perguntei às crianças foi: "Que tipo de problemas vocês estão tendo com o Stephen?" Elas listaram várias reclamações. Eu perguntei: "Vocês têm alguma ideia de por que o Stephen está fazendo todas essas coisas?" Elas responderam: "Porque ele é violento. Porque ele é maldoso." Finalmente, uma criancinha disse: "Talvez porque ele é uma criança órfã." Eu disse: "Será que vocês imaginam como deve se sentir uma criança órfã?" Eles disseram: "Puxa, você não tem a sua família. Você não tem a mesma vizinhança." Eles começaram a sentir compaixão.

Então eu disse: "Quantos de vocês estariam dispostos a ajudar o Stephen?" Todos levantaram as mãos. Eu disse: "Certo, que tipo de coisas vocês poderiam fazer para ajudar o Stephen?" Eles escreveram uma longa lista no quadro: brincar com ele no intervalo, caminhar com ele até a escola e depois da escola, sentar com ele no almoço e ajudá-lo com a lição. Então eu disse: "Certo, quem estaria disposto a fazer cada uma dessas coisas?" Eu escrevi os nomes específicos para cada uma das sugestões.

Depois, eu conversei com o Stephen. "Stephen, nós conversamos sobre alguns problemas que você está passando na sala. Quantas crianças você acha que querem ajudá-lo?" Ele falou: "Aposto que nenhuma delas." Eu disse: "Todo mundo." E ele disse incrédulo: "Todo mundo?" Ele não estava acreditando.

Eu quero fazer uma pergunta. Vocês acham que o comportamento do Stephen mudou quando todas as crianças daquela classe mudaram sua maneira de pensar sobre ele e decidiram ajudar? Eu posso garantir que o seu comportamento mudou significativamente. Quando você ajuda as crianças a entenderem e a entrarem na onda de ajudar em vez de magoar, isso faz uma grande diferença. Eles são capazes de realizar mais do que qualquer professor, pai adotivo, diretor ou orientador escolar. As crianças são poderosas no que podem fazer para ajudar.

A próxima história refere-se a uma reunião de classe que eu presenciei em San Bernardino, Califórnia, Estados Unidos, e um menininho a quem vou chamar de Phillip. A turma discutiu quatro itens enquanto eu estava lá. Três deles estavam relacionados ao Phillip. Eu perguntei a ele: "Você acha que as crianças estão te ajudando?" Ele deu um sorriso de canto e disse: "Sim, eles estão me ajudando." Mais tarde, a professora me disse: "Phillip ainda é o maior problema de comportamento na nossa sala, mas as crianças tentam ajudá-lo em vez de usarem ele como um bode expiatório."

Vocês notaram que há sempre, pelo menos, um aluno com problema de comportamento em cada sala? Tem alguém aqui que não tem um em sua sala? E vocês já notaram que, se for o caso de aquela criança se mudar, uma outra criança irá, com prazer, tomar o seu lugar? Normalmente, tem uma criança que decide ser "especial" daquela maneira. Essa professora disse: "O que eu gosto é que, mesmo que o Phillip ainda apresente muitos problemas, as crianças estão realmente querendo ajudá-lo. Eles realmente tentam ajudá-lo em vez de sempre se unirem contra ele, magoando-o e humilhando-o."

P. Como nós orientamos as crianças para soluções apropriadas?
JANICE: Eu acho que apenas por meio da conversa com eles. Um dos meus exemplos favoritos é uma experiência que tive com um menininho que colocava as coisas na boca o tempo inteiro. Alguém colocou aquilo na pauta porque não era seguro – ele poderia engasgar. Um aluno disse: "Bem, você deveria colocar o nome dele na área roxa." Naquela época, eu tinha um quadro colorido e, quando o nome de alguém estava na cor roxa, eles eram encaminhados para a diretoria. Mas outro disse: "Bem, isso não vai ajudá-lo em nada porque, se ele for ver o diretor, ele ainda vai colocar as coisas na boca. Ele ainda vai engasgar." Eles estavam pensando em tudo.

APRESENTADOR: Tudo porque você fez perguntas do tipo "Como isso irá ajudar?".

KAY: Eu descobri praticamente a mesma coisa com os alunos do quarto ano. Muitas vezes eu pergunto a eles: "Isso é razoável? E isso está relacionado ao problema?" E eles voltam e falam: "Puxa, um desses não está relacionado." E eles discutem quais deles não estão relacionados e tiram-nos da lista. Então, eles pensam bastante antes de escolherem uma solução.

Eu também percebi muitas vezes que, quando o problema aparece na pauta pela primeira vez, a solução dos alunos é fazer parar aquele comportamento. Frequentemente, só isso é suficiente. Tudo o que eles precisam saber é que o comportamento é um problema para um dos seus colegas. É muito importante para eles serem aceitos por eles. Se eles sabem que algo está desagradando os colegas, muitas vezes o que eles fazem é simplesmente dizer: "Eu vou parar." E realmente param.

APRESENTADOR: Em outras palavras, às vezes só uma discussão é o suficiente. Eu realmente quero enfatizar isso. Muitas vezes, as pessoas focam em consequências ou soluções sem perceber o poder de deixar as crianças discutirem. Depois que você conversa sobre o assunto, você pode dizer: "Certo, se isso acontecer de novo, podemos anotar na pauta". Mas você pode ficar surpreso com o fato de que, muitas vezes, não acontecerá novamente.

Fazer perguntas do tipo: "Como isso irá ajudar?" pode ser muito poderoso para ensinar às crianças a considerarem resultados de longo prazo. Além disso, ajuda ter um *slogan*: "Estamos aqui para ajudar uns aos outros, e não para magoar uns aos outros." Às vezes, você pode fazer estas perguntas: "Quantos de vocês sentem que estamos elaborando ideias que são úteis?", "Quantos de vocês acham que estamos elaborando sugestões que são prejudiciais?". Uma técnica-chave quando você observa as coisas indo para o caminho errado é fazer uma pergunta, mas pergunte das duas maneiras: "Quantos de vocês acham que estão fazendo muito barulho?", "Quantos de vocês acham que a sala está quieta o suficiente?", "Quantos de vocês acham que estão sendo respeitosos?", "Quantos de vocês acham que estão sendo desrespeitosos?". Fazer perguntas convida os alunos a pensarem.

P. Como podemos lidar com as crianças que usam a pauta como vingança?

KAY: No começo, eu realmente descobri que as crianças estavam usando a pauta como vingança o tempo todo. Então eu criei uma caixa para a pauta. Ela tem uma abertura no topo e os alunos colocam os itens da pauta dentro da caixa. Elas criaram um sistema de números. Elas colocam um número no problema, então marcam o número que usaram para que a próxima pessoa possa saber qual número usar, e nós lemos os assuntos em ordem numérica durante a reunião de classe. Isso funciona que é uma beleza! As crianças amam isso e são elas que comandam todo o processo. Eu não faço nada.

APRESENTADOR: Com esse sistema, você pode manter os problemas que entram na caixa em ordem. Genial!

JANICE: Eu não acho que os alunos do primeiro ano usam a pauta como vingança. Eu acho que eles são muito honestos. Normalmente, um colega vai perguntar para o outro e confirma: "Ela só fez isso para se vingar." Quando eu pergunto aos alunos, eles normalmente respondem: "Sim, eu fiz." Eu sempre gosto de agradecê-los ou lhes dar crédito por admitirem algo assim logo de cara.

APRESENTADOR: Qualquer uma dessas perguntas pode ser escrita na pauta. Você poderia perguntar a eles: "O que poderíamos fazer sobre aqueles que usam a pauta para se vingar?" Eles irão pensar em ótimas respostas. Mas a outra coisa é que, sempre que você tiver um problema, deve conversar abertamente com as crianças.

Outra maneira de lidar com as crianças usando a pauta como vingança é dizendo: "Eu notei que estamos usando a pauta como vingança." Então eu faria algumas perguntas, como: "Quantos de vocês acham que não confiamos uns nos outros ainda para saber que estamos aqui para ajudar uns aos outros em vez de magoar uns aos outros?" Envolver os alunos em soluções ou em uma simples discussão normalmente é o suficiente para dar fim à vingança.

P. Como você incorpora outras estratégias de disciplina ao programa de Disciplina Positiva?

APRESENTADOR: Eu tenho uma resposta genérica para isso: ela pode ser incorporada em qualquer outro programa que trata as crianças com dignidade e respeito, que não humilha, que foca em soluções em vez de culpa e que ensina habilidades em vez de punição e controle. A Disciplina Positiva não se encaixa em programas de disciplina que são baseados na premissa "punição e recompensa". Esta é uma premissa totalmente oposta. Esses sistemas ensinam os adultos a serem responsáveis pelo comportamento das crianças ao pegá-las sendo "boas" e recompensando-as, e ao pegá-las sendo "más" e punindo-as. Mas o que acontece quando os adultos não estão por perto? Esse é um controle de curto prazo, que não olha para o que as crianças estão sentindo e decidindo fazer, nem para o tipo de habilidades que elas estão aprendendo para mudanças futuras.

Você gostaria de falar algo mais para encerrar a sessão? Eu gostaria de ouvir, de vocês duas, um breve sumário do que vocês acharam de tudo.

KAY: Realizar reuniões de classe regularmente é uma das coisas mais maravilhosas que já aconteceram comigo em minha sala, e meus alunos sentem o mesmo. Eles amam! Eles ficam inquietos se temos de pular uma reunião. Eu faço reuniões de classe todos os dias. De vez em quando, nosso dia fica muito atarefado e não podemos realizá-la naquela dia; eles realmente sentem falta.

Eu observo que a minha sala opera de maneira mais harmônica quando temos a oportunidade de fazer reconhecimentos e elogios. Mesmo se não temos tempo, só de fazermos os elogios o dia fica muito mais tranquilo.

APRESENTADOR: Estou feliz que você mencionou isso. Muitos professores dizem que o dia transcorre mais facilmente quando eles realizam as reuniões de classe, mesmo se for só a parte dos elogios.

JANICE: Eu amo reuniões de classe. Eu insisto que todos devem tentar. Nunca me senti confortável com o programa de disciplina que nós tivemos quando eu comecei a dar aulas. Estou tão contente por ser capaz de implementar algo que possa substituí-lo. Não tenho nada implementado em minha sala neste momento em relação à disciplina, exceto as reuniões de classe.

• • •

Esperamos que esta transcrição tenha capturado a competência, a atitude positiva e as habilidades excepcionais de Janice Ritter e Kay Rogers. Acreditamos que seus exemplos serão uma inspiração para milhares de professores que veem o potencial das reuniões de classe para empoderar alunos e criar um clima de cooperação na sala de aula. Esperamos que você também fique motivado com a experiência delas, adote reuniões de classe e aproveite os frutos desse poderoso processo tanto para professores como para alunos.

CONCLUSÃO

Eu caí no mundo e agora terei de nadar.

Rudolf Dreikurs

Agora que você leu o livro, qual seria o próximo passo? Se você tem coragem de ser imperfeito e está disposto a cometer erros, você pode instituir a Disciplina Positiva em sua sala de aula, aprendendo junto com seus alunos.

Tammy Keces, professora do Ensino Fundamental I e educadora de pais há mais de 20 anos (e agora uma treinadora certificada em Disciplina Positiva), resume suas experiências com a Disciplina Positiva desta forma:

> Por meio do meu trabalho com professores, pais, educadores, terapeutas, médicos, enfermeiros, advogados, cientistas etc., ao longo dos últimos três anos desde que eu aprendi sobre a Disciplina Positiva, eu vi que ela inclui o conjunto mais abrangente e útil de ferramentas e habilidades de vida que se pode ter hoje. Ela pode ser utilizada para criar relações consistentemente mais pacíficas, produtivas e empoderadoras entre crianças e adultos de todas as idades, etnias e religiões.
>
> Na sala de aula, a Disciplina Positiva tem transformado o modo como eu me comunico com os alunos, construído conexões de apoio com todos os membros da classe – independentemente do tipo de aluno –, colocado ênfase na criação de uma comunidade escolar respeitosa e de apoio, incutido o comportamento autônomo e reflexivo como forma de disciplina, e inspirado um desejo nos alunos de estarem intrinsecamente motivados para alcançar o sucesso acadêmico e social. No geral, a sala de aula tornou-se um lugar aconchegante, alegre e feliz para a aprendizagem e o crescimento. Como professora, eu estava animada para aplicar a filosofia da Disciplina Positiva na criação de novas lições conectadas ao currículo geral. Pais e alunos têm progredido e brilhado na sala de aula de Disciplina Positiva.
>
> Para mim, ela tem sido igualmente convincente na esfera pessoal, pela forma como as ferramentas para pais têm moldado uma melhor comunicação,

relações mais estreitas e de respeito mútuo em minha casa. Implementar reuniões de família permitiu discussões significativas, uma plataforma para preocupações e questões individuais a serem abordadas e um lugar seguro simplesmente para ser ouvido. As reuniões de família agora estão sendo integradas na vida cotidiana da nossa família. As ferramentas de Disciplina Positiva para comunicação podem ser usadas em uma infinidade de cenários e estão fundamentadas em uma comunicação respeitosa.

Construir a ponte entre casa e escola criou uma dinâmica gratificante com professores, pais e alunos. Utilizar o Quadro dos Objetivos Equivocados com os pais tem sido uma realização esclarecedora e muitas vezes emocionante de como nós, adultos, podemos levar uma criança de seu espaço de comportamento negativo e busca por atenção para um comportamento de encorajamento e compreensão. Realizar *workshops* regulares com os pais para ensinar as mesmas ferramentas que as crianças estão aprendendo na sala de aula se tornou um componente-chave para a Disciplina Positiva gerar um impacto maior.

Os pais que utilizavam a abordagem de modificação comportamental, *recompensando* extrinsecamente seus filhos com recompensas financeiras, objetos materiais ou elogios vazios apareciam na minha porta frustrados pela curta duração dos resultados. A Disciplina Positiva ofereceu uma diferença crítica para fazer uma mudança significativa no comportamento das crianças. Um grande exemplo disso foi quando meu filho de 10 anos, Colby, gentilmente recusou uma *recompensa* que sua professora tinha oferecido a ele depois de ter feito bem seu trabalho e disse: "Eu não preciso do prêmio porque me sinto realmente bem com o que eu fiz." Sua professora ficou chocada ao oferecer um *reforço comportamental positivo* que foi recusado pelo aluno. O maior presente que você pode dar às crianças é quando seu próprio esforço, determinação e sentimento de orgulho tornam-se o prêmio final!

Nosso desejo é que você, assim como Tammy, encontre o seu caminho com a ajuda da Disciplina Positiva para influenciar positivamente seu mundo e o mundo dos seus alunos. Estamos ansiosos para ouvir sobre seus sucessos. Envie suas histórias envolvendo a Disciplina Positiva (em inglês) para jane@positive-discipline.com ou lynnlott@sbcglobal.net, para que possamos compartilhá-las com os outros e inspirar ainda mais os professores a embarcarem no trem da Disciplina Positiva rumo ao desenvolvimento socioemocional e acadêmico.

BIBLIOGRAFIA

Adler, Alfred. *Cooperation Between the Sexes*. New York: Anchor Books, 1978.
———. *Social Interest*. New York: Capricorn Books, 1964.
———. *Superiority and Social Interest*. Evanston, IL: Northwestern University Press, 1964.
———. *What Life Should Mean to You*. New York: Capricorn Books, 1958.
Albert, Linda. *Coping with Kids*. New York: E. P. Dutton, 1982.
Ansbacher, Heinz, e Rowena Ansbacher. *The Individual Psychology of Alfred Adler*. New York: Harper Torchbooks, 1964.
Beecher, Willard, e Marguerite Beecher. *Beyond Success and Failure*. New York: Pocket Books, 1966.
Bettner, Betty Lou, e Amy Lew. *Raising Kids Who Can*. New York: Harper Collins, 1992.
Charles, C. M. *Building Classroom Discipline*, 6th edition. New York: Longman, 1998.
Christianson, Oscar. *Adlerian Family Counseling*. Minneapolis, MN: Educational Media, 1983.
Corsini, Raymond, e Genevieve Painter. *The Practical Parent*. New York: Harper and Row, 1975.
Dinkmeyer, Don, e Rudolf Dreikurs. *Encouraging Children to Learn: The Encouragement Process*. Englewood Cliffs, NJ: Prentice-Hall, 1963. [Publicado no Brasil com o título *Encorajando crianças a aprender*. São Paulo: Melhoramentos, 1972.]
Dinkmeyer, Don, e Gary McKay. *Parents Handbook: Systematic Training for Effective Parenting*, 3rd edition. Circle Pines, MN: American Guidance Service, 1989.
———. *Raising a Responsible Child*. New York: Simon & Schuster, 1978.
Dinkmeyer, Don, e W. L. Pew. *Adlerian Counseling and Psychotherapy*. Monterey, CA: Brooks/Cole, 1979.
Dreikurs, Rudolf. *Psychology in the Classroom*. New York: Harper and Row, 1966.
———. *Social Equality: The Challenge of Today*. Chicago: Contemporary Books, 1971.

Dreikurs, Rudolf, Raymond Corsini, e S. Gould. *Family Council*. Chicago: Henry Regnery, 1974.

Dreikurs, Rudolf, Bernice Grunwald, e Floyd Pepper. *Maintaining Sanity in the Classroom*, 2nd edition. Accelerated Development, 1998.

Dreikurs, Rudolf, e V. Soltz. Children: *The Challenge*. Plume, 1991.

Glenn, H. Stephen. *Developing Capable People* (série de fitas e videocassetes). Orem, UT: Empowering People Books, Tapes & Videos. (1-800-456-7770)

———. *Developing Healthy Self-Esteem* (fita/videocassete). Orem, UT: Empowering People Books, Tapes & Videos, 1989. (1-800-456-7770)

———. *Involving and Motivating People* (fita cassete). Orem, UT: Empowering People Books, Tapes & Videos, 1986. (1-800-456-7770)

———. *Teachers Who Make a Difference* (fita/videocassete). Orem, UT: Empowering People Books, Tapes & Videos, 1989. (1-800-456-7770)

Glenn, H. Stephen, e Michael L. Brock. *7 Strategies for Developing Capable Students*, Rocklin, CA: Prima, 1998.

Glenn, H. Stephen, e Jane Nelsen. *Raising Self-Reliant Children in a Self-Indulgent World*. Rocklin, CA: Prima Publishing, 1988.

Kohn, Alfie. *Punished by Rewards*. New York: Houghton Mifflin, 1993. [Publicado no Brasil com o título *Punidos pelas recompensas*. São Paulo: Atlas, 1998.]

Kvols, Kathy. *Redirecting Children's Misbehavior*. Seattle: Parenting Press, 1997.

Lott, Lynn, e Riki Intner. *Chores Without Wars*. Rocklin, CA: Prima Publishing, 1998.

Lott, Lynn, Riki Intner, e Barbara Mendenhall. *Do-It-Yourself Therapy: How to Think, Feel, and Act Like a New Person in Just 8 Weeks*. Franklin Lakes, NJ: Career Press, 1999.

Lott, Lynn, e Jane Nelsen. *Teaching Parenting the Positive Discipline Way (a manual)*. Orem, UT: Empowering People Books, Tapes & Videos, 1990. (1-800-456-7770)

Manaster, Guy J., e Raymond Corsini. *Individual Psychology*. Itasca, IL: F. E. Peacock Publishers, 1982.

Nelsen, Jane. *From Here to Serenity: Four Principles for Understanding Who You Really Are*. Roseville, CA: Prima Publishing, 2000.

———. *Positive Discipline*. New York: Ballantine Books, 1996. [3a edição publicada no Brasil com o título *Disciplina Positiva*. Barueri: Manole, 2015.]

———. *Positive Discipline* (fita cassete). Orem, UT: Empowering People Books, Tapes & Videos, 1988. (1-800-456-7770)

———. *Positive Discipline* (conjunto de videocassetes). Orem, UT: Empowering People Books, Tapes & Videos, 1988. (1-800-456-7770)

———. *Positive Time-Out and 50 Other Ways to Avoid Power Struggles in Homes and Schools*. Rocklin, CA: Prima Publishing, 1999.

Nelsen, Jane, Roslyn Duffy, e Cheryl Erwin. *Positive Discipline the First Three Years*. Rocklin, CA: Prima Publishing, 1998.

———. *Positive Discipline for Preschoolers*. Rocklin, CA: Prima Publishing, 1998.

Nelsen, Jane, Roslyn Duffy, Linda Escobar, Kate Ortolano, e Debbie Owen-Sohocki. *Positive Discipline: A Teacher's A–Z Guide*. Rocklin, CA: Prima Publishing, 1996.

Nelsen, Jane, Cheryl Erwin, e Carol Delzer. *Positive Discipline for Single Parents*. Rocklin, CA: Prima Publishing, 1999.

Nelsen, Jane, Riki Intner, e Lynn Lott. *Positive Discipline for Parenting in Recovery* (publicado anteriormente como *Clean and Sober Parenting*). Rocklin, CA: Prima Publishing, 1996.

Nelsen, Jane, e Lynn Lott. *Positive Discipline for Teenagers*, 2a edição revisada. Roseville, CA: Prima Publishing, 2000.

Nelsen, Jane, Lynn Lott, e H. Stephen Glenn. *Positive Discipline: A–Z*. Rocklin, CA: Prima Publishing, 1999.

———. *Positive Discipline in the Classroom*. Roseville, CA: Prima Publishing, 2000.

Pew, W. L., e J. Terner. *Courage to Be Imperfect: the life and work of Rudolf Dreikurs*. New York: Hawthorn Books, 1978.

Smith, Manuel J. *When I Say No I Feel Guilty*. New York: The Dial Press, 1975. [Publicado no Brasil com o título *Sim, você pode dizer não*. Rio de Janeiro: Record, 1995.]

Video Journal of Education, The. "Positive Discipline in the Classroom." Program One: "A Foundation for Positive Discipline." Program Two: "Class Meetings, the Forum of Positive Discipline." Sandy, UT: *The Video Journal of Education*, volume VI, issue 7, 1997. (1-800-572-1153)

Walton, F. X. *Winning Teenagers Over*. Columbia, SC: Adlerian Child Care Books.

ÍNDICE REMISSIVO

A

Abuso de drogas, 7
Ação *versus* palavras, 108-113
Aceitação, senso de, 4, 12, 17-18, 56, 63, 74, 106-107, 142
Acompanhamento eficaz, 109-111, 116-117
Adler, Alfred, 11-12, 47, 63
"Adultismos" *versus* respeito, 82-83
Alicerces da comunicação, 79-83
Amigou, Bénédicte, 164
Amor à natureza, 13
Apanhar, 64, 94
Aprender, gostar de, 2
Assédio sexual, 132
Atenção indevida, 47, 50-53, 56-58, 116-117, 125-126
    frases encorajadoras para, 53-54
Atividades
    A "selva" de *iceberg*, 49, 52-55
    Charlie, 132-133
    Como revezar, 157-158
    Como ser um bom ouvinte, 156-157
    Crie sua própria camiseta, 70-71
    Encenação, 164-167
    Encorajamento para viagem, 31-32
    Erros são maravilhosas oportunidades para aprender, 30
    Formando um círculo, 146-148
    Frases que começam com "eu", 90
    Há uma floresta lá fora, 153-156
    Habilidades de escuta, 88-89
    Levantamento de ideias, 168-169
    Pausa positiva, 119-122
    Pedir desculpas, 100-101
    Perguntar *versus* mandar, 14-15, 80-81
    Perguntas do tipo "o que" e "como", 112-113
    Praticando elogios e reconhecimento, 148-151
    Quatro Objetivos Equivocados, 56-57
    Será que os alunos sabem que você se importa com eles?, 66
    Soluções *versus* consequências lógicas, 161-162
    Termômetro, 77-78
Autoavaliação, xi
Autocontrole, 2-7, 12-13, 37-38
Autodisciplina, 3-7, 12-13, 37-38
Autoestima, 12-13, 18
Automotivação, 13-14

B

Bayton, Carter, 67
Behaviorismo, 11, 16
Blomberg, Dodie, 9
Boletim de notas, 31
Bullying, 7, 125-133
    comportamento dos adultos e, 130-132
    definição, 125-127
    erros comuns sobre o, 127-130
    reuniões de classe e, 125, 127-131, 133

C

Cadeira do pensamento, 22-23
Capacidade pessoal, 3-4, 13-14, 34, 37-38
Características e habilidades de vida, lista de, 13, 53
Cartões coloridos, sistema de, 21-22, 24, 27-28, 44
Castigo, 64, 94
Celebrar *versus* criar expectativa, 81-82
Cesta de cartas com ferramentas de disciplina, 98-100
Chadsey, Terry, 12

Charlie, atividade, 132-133
Chefe, estilo de liderança, 28
Cidadania responsável, 25-27
Cinco alicerces da comunicação, 79-83
Cinco orientações para estabelecer rotinas, 33-34
Círculo, formando um, 146-148
Clifton, Donald O., 35
Colaboração, 8, 25
Colar em provas, 82
Como revezar, atividade, 157-158
Como ser um bom ouvinte, atividade, 156-157
Compaixão, 5, 13-14
Comportamento
  de sobrevivência, 18
  humano, duas escolas opostas de pensamento, 12
  passivo-agressivo, 81
Comprometimento, 4, 13, 96-97, 122
Comunidade, senso de, 19
Conexão, 63-76
  apreciando a singularidade, 70-71
  atitudes e habilidades que criam, 68
  criando uma, 65
  excursão de escola, 69-70
  lidando com o luto, 73-747
  poder da importância, 67-68
  respeitando os interesses dos alunos fora da escola, 72-74
  senso de humor e, 70-71
  sete qualidades da, 63-64
Confiança, xi, 34
Conscientização, 36-38
Consequências
  lógicas, *versus* soluções, 161-163
  naturais, xi, 28, 115
Contato visual, 88-89, 103
Conversação estilo partida de tênis, 87
Convidar e encorajar *versus* instruir, 79
Cooperação, 2, 7-8, 13, 25, 34
CPMM (Crianças Podem Mudar o Mundo), 26-27
Crença por trás do comportamento, 17
Criar expectativa *versus* celebrar, 81-82
"Crie sua própria camiseta", atividade, 70-71
Crítica e humilhação, professor águia e, 36-38

D

Dannhorn, Elizabeth, 31-32
Dedurar, 191
Desencorajamento, 17-18, 35, 47
Diferenças, respeitando, 146, 152-156, 191-192
Dinkmeyer, Don, 12
Disciplina Positiva em ação, 5, 8-9, 19-20, 23, 25-27, 44-46, 61, 42-76, 85-86, 103, 124, 134-135, 141, 158-159, 164-165, 170-172
  como modelo de encorajamento, 1-9
  dois trilhos da, 1
  para mudança de comportamento, 28-29
  Sete Percepções e Habilidades Significativas e, 3-7, 186-187
Dor e estresse, professor tartaruga e, 36-37
Dreikurs, Rudolf, 1, 12, 17, 25, 47-48, 77, 80, 93, 105, 108, 125-126, 137, 143, 161, 170, 179, 189, 199
Duffy, Roslyn, 35

E

Educação, crise na, ix-x
Eletreby, Dina, 27
Elogios, 8-9, 19, 145, 148-153, 176-177
  sarcásticos, 149-151, 184-185
Empatia, 5-6, 12-13
Empoderamento, 3-7, 83-88
Emser, Dina, 172
Encenação
  atividade de, 165-167
  atividades sobre habilidades de escuta e, 88
  em atividades sobre perguntas do tipo "o que" e "como", 112-113
  em reuniões de classe, 146, 164-168, 173-174, 185-186
  na atividade A "selva" de *iceberg* e, 52-53
  passo a passo da resolução de problemas no qual professores se ajudam e, 39-43
  processo de resolução de problemas e, 97-98
  rotinas e, 33-34

Encorajamento, 31-33, 39, 49, 52, 116, 177-178
   formulário de, 34-35
   para viagem, atividade, 31-33
Envolvimento com gangues, 7
Erros
   como maravilhosas oportunidades para aprender, 30-31
   esconder os, 29
Escobar, Linda, 35
Escola
   aos sábados, 64
   conexão positiva com a, 63
Escolas Charter Discovery, xi
Escolhas
   consequências das, 6
   limitadas, 105-107
   Roda de Escolha, 6, 45, 54, 99-102, 134, 176
Estilos de liderança
   fantasma, 28
   tapete, 28
Estresse, ix, 36-37, 137-140
Excursões escolares, 33, 69-70, 177-178
Explicar e resgatar *versus* explorar, 80-81
Explorar *versus* resgatar e explicar, 80-81

F

Fantasia *versus* realidade, 16
Ferramentas para o gerenciamento de sala de aula, 105-124
   ações *versus* palavras, 108-113
   colocar todos no mesmo barco, 118
   dar pequenos passos, 121
   decidir o que você fará, 115-117
   dizer não com respeito, 117
   escolhas limitadas, 105-107
   fazer uma pausa positiva, 119-123
   funções na sala de aula, 106-108
   não fazer nada (consequências naturais), 115
   perguntas de redirecionamento, 114
   perguntas que estimulam a curiosidade, 111-114
Firmeza, xi, 27-44, 67-68, 86-87, 116-118
Formando um círculo, atividade, 146-148
Formulário de encorajamento, 34-35
Foster, Steven, 20, 31

Frases com ordens, 14-16
Frases com perguntas, 15-16
Frases encorajadoras, 52-54, 56
   para atenção indevida, 53-54
   para inadequação assumida, 55
   para poder mal dirigido, 54
   para vingança, 54-55
Frases que começam com "eu", atividade, 45, 89-90
Frieden, Wayne, 59
Funções na sala de aula, 106-108

G

Gangues, envolvimento com, 7
Garsia, Adrian, 170-171
Gaudin, Nadine, 134, 164
Gentileza, xi, 12-13, 27-44, 59-60, 67-68, 86-87, 116-118
Gerenciamento de sala de aula, 105-124
   (*veja também* Ferramentas para o gerenciamento de sala de aula)
Gilbert, Julie, 158-159
Glasser, William, 12
Glenn, H. Stephen, 3, 78-79
Gravidez na adolescência, 7

H

"Há uma floresta lá fora", atividade, 153-156
Habilidades de comunicação, 77-90, 152
   "adultismos" *versus* respeito, 82-83
   barreiras para, 77-84
   criar expectativa *versus* celebrar, 81-82
   frases que começam com "eu" e, 90
   habilidades de escuta, atividades e, 88-89
   instruir *versus* convidar e encorajar, 81
   quatro técnicas empoderadoras, 84-87
   resgatar e explicar *versus* explorar, 80-81
   respeitosas, 146, 155-159
   suposição *versus* verificação, 79-80
Habilidades
   de escuta, atividades, 88-90
   de julgamento, 3, 7
   socioemocionais, 1-3, 12
Hamilton, Christine, 5, 85
Harris, Eric, 126
Hartwell-Walker, Marie, 59

Henry, Molly, 86
Honestidade, 13
Howell, Sabrina, 74
Humilhação, 22-24, 179-181
Humor, senso de, 13-14, 71-73

I

Iceberg, analogia com o comportamento humano, 16-18, 47-49
Importância, 65
  atividade, 66
  exemplo de, 72
  poder da, 67
  senso de, 4, 12, 17-18, 56, 64-65, 74, 106-107, 142
Inadequação assumida, 47, 49, 55, 57-58
  frases encorajadoras para, 55
Incentivos, 12-13, 16
Infância, memórias de, 22-23
Insignificância e irrelevância, professor leão e, 36-37
Instruir *versus* convidar e encorajar, 81
Integridade, 6-7
Interesses pessoais dos alunos, respeitando os, 72-74
Intuição, falando com base na, 86-87

J

Jenkins, James Mancel, 65
Jones, Dale, ix-xi

K

Kawakami, Cathy, 141
Keces, Tammy, 102, 199
Knauss, Loribeth, 133
Koellmer, Laura, 103
Kohn, Alfie, 16
Krackov, Andy, ix*n*

L

Ladd, Heather, 124

LaSala, Teresa, 143
Levantamento de ideias, 134, 157-158
  acompanhamento eficaz e, 109
  atividade, 168-169
  bullying e, 129
  conexão e, 73-74
  consequências lógicas e, 161-163
  em reuniões de classe, 145-146, 163-164, 168-174
  funções na sala e, 106-107
  passo a passo da resolução de problemas no qual professores se ajudam e, 42
  pausa positiva e, 120-122
  reuniões entre pais, professores e aluno e, 34
Lição de casa, ix, 137-142
  em grupo, 142
  estresse da, 138
  extra, 64
  propósito da, 137-138
  tirando proveito da situação, 139
Lições baseadas em interesses, xi
Linguagem corporal, 89, 103
Lott, Lynn, 12, 22, 31, 36
Lugar para se acalmar/se sentir bem, 119-121
Luto, lidando com, 73-74
Lynch, Rene, 129
Lyons, L., ix*n*

M

Malyszka, Geoff, 103
Mandar, *versus* perguntar, atividade, 14-15, 80-81
McVittie, Jody, 12, 143
Meadows, Susannah, 126
Meder, Frank, 144
Memórias de infância, trabalho com, 22-23
Mentalidade de vítima, 6-7
Mesa da Paz, 102, 176-177
Motivação, falta de, 7
Motivadores
  extrínsecos, 11-12
  intrínsecos, 12
Mudanças, contínuas, 37-39
Músicas de Frieden e Hartwell-Walker, 59
Músicas dos Objetivos Equivocados, 59

N

Não fazer nada, 115
Natureza, amor à, 13
Nelsen, Jane, 3, 12, 20, 31, 35, 79, 129, 188
Nelson, Paula, 35

O

Oito Habilidades para Reuniões de Classe, 74, 161
  compreendendo e utilizando os Quatro Objetivos Equivocados, 178
  encenando e levantando ideias, 146, 163-174
  focando em soluções, 146, 161-164
  formando um círculo, 145-148
  praticando elogios e reconhecimento, 145, 148-153
  respeitando as diferenças, 146, 152-156
  usando habilidades respeitosas de comunicação, 146, 156-159
  utilizando a pauta e o formato da reunião de classe, 146, 173-178
Olweus, Dan, 125
Ordens, frases com, 14-16
Orientações para estabelecer rotinas, 33-34
Ortolano, Kate, 35
Ouvir, 2, 113-114, 156-158
Owen-Sohocki, Debbie, 35

P

Palavras com que expressamos sentimentos, 88
Palestras, 33
Passo a passo da resolução de problemas no qual professores se ajudam, 39-44
Pausa , 11-12
  positiva, 119-123
    atividade, 120
    com um parceiro, 122-123
  punitiva, 119-121
Pavlov, Ivan, 12
Pedir desculpas, atividade, 100-101
Pequenos passos, 123
Perguntar *versus* mandar, atividade, 14-15, 80-81
Perguntas
  de redirecionamento, 114
  do tipo "o que" e "como", atividade, 112-114
  frases com, 15-16
  que estimulam a curiosidade, 22, 79-80, 111-114, 134, 140, 142, 156-158
Platt, Ann Roeder, 144-145
Poder mal dirigido, 47, 49-52, 56-59, 125-126
Poder pessoal, 3-6
Praticando elogios e reconhecimento, atividade, 149-151
Prepotência, 7
Privilégios, omissão de, 94, 96
  compreendendo e utilizando os Quatro Objetivos Equivocados, 145, 178
  no qual os professores se ajudam, 39-44
  problemas graves de disciplina e, 192-194
Processo de resolução de problemas, x, 3-6, 8-9, 13-14, 37-38 (*veja também* Soluções, focando em)
Professor
  águia, 36-38
  camaleão, 36
  do Ano, 68-69
  leão e, 37
  tartaruga, 36-37
Projeto ACCEPT (Adlerian Counseling Concepts for Encouraging Parents and Teachers), 188-189
Punição, 1, 11-13, 16-18, 28, 35, 196-197
  a "selva" de *iceberg*, atividade e, 52-56
  castigos, 119-121
  física, 64
  sistema de cartões coloridos, 19-22, 24, 28, 44
  soluções melhores do que, 94, 161-164
  tirar proveito da situação, 139
  Três R da, 18-19
  uso excessivo de, 24

Q

Quadro
  das expressões de sentimentos, 91
  de funções, 107

dos Objetivos Equivocados, 41-42, 45-46, 48-53, 56-58, 116, 121-124, 177-178, 200
Quatro armadilhas que atrapalham um acompanhamento eficaz, 109-110
Quatro Objetivos Equivocados de comportamento, 47-60, 155-156, 177-178
　atenção indevida, 47, 50-54, 56-58, 116-126
　atividade, 56-58
　inadequação assumida, 47, 49, 52, 54-58
　poder mal dirigido, 47, 49-52, 54, 56-59, 126
　quadro dos objetivos equivocados, 39-42, 45-46, 48-53, 56-58, 116, 121-122, 125-126, 177-178, 199-200
　vingança, 18, 28, 47, 49-52, 54-55, 56-70, 125-127, 195-196
Quatro passos
　para resolução de problemas, 6-7, 96-98, 102, 176-177
　para um acompanhamento eficaz, 109-110

R

Raiva, 6, 59-60
Raphael, Arlene, 20
Rasmussen, Robert, 68
Rebeldia, 18, 28, 32-33
Recompensas, 1, 11-13, 16-18, 28, 196, 200
Reconhecimento, 8-9, 19, 145, 148-153, 176, 183-185, 189-190
Recuo, 18, 28
Rejeição e conflitos, professor camaleão e, 36-37
Relatório de progresso, xi
Resgatar e explicar *versus* explorar, 80-81
Resiliência, 2, 6-7
Respeitar *versus* "adultismos", 82
Respeito, 2, 13-14, 45-46, 95-96, 116-118
　dizer não e, 118
　mútuo, 8, 12-13, 25, 27-28, 105, 146-147
　pelas diferenças, 146, 152-156, 190-191
　por interesses pessoais, 72-74
Responsabilidade, 2, 4, 7, 12-13, 34-35, 37-38, 116-117
　aceitar, 11-12
　pelos erros, 6-7

Ressentimento, 28
Retaliação, 18, 28, 50-51, 170, 175
Retenção na hora do intervalo, 64
Reuniões de classe, 5-6, 9, 19, 25-26, 45, 73-77, 79-83
　bullying e, 125-164, 128-131, 133
　encenação, 146, 164-169, 173-174, 185-186
　foco em soluções, 146, 161-165
　formando um círculo, 144-148
　habilidades respeitosas de comunicação, 146, 156-159
　humilhações durante, como evitar, 179-179
　levantando ideias, 145-146, 163-164, 168-174
　lição de casa e, 138-140
　lista das Oito Habilidades para, 145-146
　opiniões sobre, 143-144
　pauta e formato, 102, 145-146, 173-178, 181-182, 185-186, 195-196
　perguntas e respostas sobre, 179-197
　poder das, 143-145
　reconhecimentos e elogios, 145-146, 148-153, 183-184, 189-190, 196-197
　respeitando as diferenças, 146, 152-156, 191-192
　rotinas e, 33-34
Reuniões de família, 200-201
Reuniões entre pais, professores e alunos, 34-36
Revista *Life*, 67
Ritter, Janice, 186, 197
Roda de Escolha, 6-7, 45, 54, 99-102, 134, 176-177
Roda de justiça restaurativa, 130
Rogers, Kay, 186, 197
Rollins, Brenda, 69
Rotinas, 32-34, 36-37

S

"Selva" de *iceberg*, atividade, 52-56
"Será que os alunos sabem que você se importa com eles?", atividade, 65
Sentimentos, palavras com que expressamos, 88
Sete Percepções e Habilidades Significativas, 3-7, 187
Siegel, Daniel, 119

Sinais com as mãos, 114
Singularidade, apreciando a, 70-71
Skinner, B. F., 12
Smitha, Suzanne, 132, 143
Soluções, foco em, 24, 93-102
   cesta das cartas e, 95, 102
   em reuniões de classe, 146, 161-164
   Mesa da Paz e, 102
   Quatro Passos para Resolução de
      Problemas e, 96-98, 102
   Roda de Escolha e, 99
   Três R e Um U e, 93-95
Soluções *versus* consequências lógicas,
   atividade, 161-163
Sporleder, Jim, 59
Stitson, Denise L., 67
Suicídio, 7
Suposição *versus* verificação, 79-80
Suspensão, 64, 144-146

T

Termômetro, atividade, 77-78
Thorndike, Ashley, 12

Tiroteio na escola Columbine, 126
Tomada de decisão, envolvimento
   em, x, 67 (*veja também* Reuniões
   de classe)
Treinamento de incêndio, 33
Três R e Um U (Relacionado ao problema,
   Respeitoso, Razoável e Útil), 95-97,
   163-164
Tunney, James Joseph, 65

V

Vingança, 47, 49-50, 57-58, 121, 126, 138,
   195-196
   frases encorajadoras para, 54-55
Votando em uma solução, 173-174

W

Walsh, Eileen, ix*n*
Workshop de desenvolvimento profissional
   para sala de aula, xi
Workshop em Disciplina Positiva, 43-44